뇌질환 암 당뇨
치유의 길

신상현 지음
한정환 감수
〈미국내과전문의〉

쇼팽의서재

뇌질환 암 당뇨
치유의 길

신상현 지음
한정환 감수
〈미국내과전문의〉

불로장생 거북이 먹이
감태에서 추출한 씨놀
기적의 신물질 탄생

유럽
EFSA
NFI 승인

미국
FDA
NDI 승인

쇼팽의서재

들어가면서

　우리 몸의 생체 시계를 잠시나마 멈출 수 있다면 얼마나 좋
을까? 매 초마다 우리 몸은 늙어간다. 나이 들면서 자연스럽게 관
절, 근육과 뼈가 마모되고 위축된다. 노화 과정과 달리 알츠하이
머 치매, 골관절, 당뇨병, 암 등 이른바 퇴행성 질환은 신체 조직
의 손상을 가져오기 마련이다. 전세계 수많은 사람들이 퇴행성
질환에 신음하고 있다. 사람들은 노화로 인한 질환을 가장 중요
한 사망 원인 가운데 하나로 꼽는다. 인류는 과학기술의 급속한
발전을 이룩했다. 그러나, 노화 방지에는 아직 손을 대지 못하고
있다. 그저 자연현상이라고 받아들이면서 병원 문턱을 드나들고
있다.

　한국 사람의 최근 수십 년간의 부동의 사망원인 1, 2, 3위는
암, 뇌혈관질환, 심혈관 질환이다. 즉 현대인이 위의 3가지 질병
으로 가장 많이 사망에 이른다. 이들 세 가지 질환의 발병 원인에
는 공통점이 있다. 바로 혈액 오염과 세포(cell)의 노화이다.

　과연 병들지 않고 노화를 늦추면서 젊음을 오래 지속하는
인간의 꿈은 가능한가? 최근 전세계 생명과학계에서는 세포 노화
에 집중하고 있는데, 노화의 비밀을 풀고자 하는 노력의 연장선
이다. 세포의 노화가 바로 신체 노화로 직결된다는 가설이 더욱

설득력이 있게 다가오는 상황이다.

이 질문에 대한 답을 찾기 위해 필자는 이행우 박사 연구팀의 노력에 주목해왔다. 미국에서 오랫동안 화학분야를 공부한 그는 노화로 인한 질환을 예방하거나 적어도 노화를 늦추는 방법을 오랫동안 연구해 왔다. 화학 전문가가 어찌 전문 의학 분야를 알 수 있느냐고 당연히 의문을 제기할 것이다. 그러나, 연구 영역에는 제한이 없는 것처럼, 화학자가 건강분야를 연구할 수 있다. 화학도 결국 핵, 원자, 분자, 세포 연구에 다름 아니기 때문이다. 이 박사는 평생 존경해왔고 사랑하는 부모님의 생몰을 목격하면서 더욱 인간 생로병사에 천착하게 되었다. 그는 몸속에서 부작용 없고 안전하며 건강한 혈액을 생성하면서도 세포 보호 효과에 탁월한 물질을 찾는데 몰두해왔다. 그리고, 마침내 희망을 발견했다. 땅에 자라는 식물이 아니라 바다속에서다.

'해양 올리고머 폴리페놀'Marine Oligomeric Polyphenol (MOP)이 그것이다. 줄여 해양 폴리페놀이다. 필자는 이행우 박사팀의 해양 폴리페놀 이야기를 독자들에게 가감없이 진실되게 전달하고자 이 글을 기획했다. 이 박사팀은 세계 최초 물질 해양 폴리페놀을 창출해냈다. 그는 돈버는게 목적이 아니었다. 너무 큰 돈을 쓰면서도 난치 질병에 고통받는 주변 사람들의 대한 측은지심에서 출발했다는 것을 의심하지 않는다. 그러나, 지금까지 어느 누구도 이 박사팀이 만들어낸 해양 폴리페놀에 대해 결과치보다 세상이 모르고 있는 데 아쉬움이 크다. 인터넷 지식을 통해 간간이 소개되었으나 어렵고 단편적인 소개에 그치고 있다. 우리나라 대표적 청정 해역인 남해바다 속에 무성한 감태에 기적같은 건강 물질이 존재한다는 것은 하늘의 축복이 아닐 수 없다. 이제부터 감태에서 추출되는 해양 폴리페놀 이야기를 풀어갈 것이다. 거듭 감태는 우리가 귀하게 섭취하는 전복의 먹이이며, 전복은 천 년을 산다는 거북이의 주 먹이다. 남해바다에 서식하는 흔하디 흔한 감태에 이렇듯 귀한 건강 소재가 존재하는 것이다.

원고를 꼼꼼히 살펴보고 오류를 지적해 준 미국 내과의사 한정완 박사는 한국에서 의대를 졸업하고 군의관을 거쳐 50여 년 전 도미, 미국 의사면허를 취득하고 개업의사로 활동해왔다. 그러던 차에 씨놀 이야기를 한국 서울의 후배로부터 듣고 한국인의 손으로 만든 세계 최초 건강 물질에 깊은 관심을 갖게 되었다고 한다. 한 박사는 그간 의료계 특히 난치성 질환에 오랫동안 종사해 온 경험을 바탕으로 이 책을 감수하고 평가했다. 미국 현지에서 전해들은 남해바다의 건강 특효 물질에 대해 무한히 신뢰하고 감탄하면서 원고를 살펴보게 되었다고 전해왔다. 감태는 완도에서 양식에 성공하여 이행우박사와 완도군이 협력해 향후 5년 안에 30만 톤을 생산 공급키로 했다.

2022년 12월 신상현 올림

미국에서 개업의사로 활동하던 차에 한국인 이행우 박사의 소식을 서울의 지인을 통해 전해 듣게 되었다. 내과 특히 심혈관계 질환이 전공인 본인으로서 씨놀이 대단한 물질임을 발견하고, 놀라면서도 한편으로 자랑스러웠다. 아시다시피 미국 의료분야는 세계 최고 수준임을 자부하고 있다. 그럼에도 심장, 뇌혈관, 치매 등 난치성 질환에는 거의 손을 쓰지 못하는 실정이다. 대증적 치료에는 최정상급 실력을 갖고 있음에도 유독 혈관계 질환에는 약한 면을 보이는게 현재 미국 의학계 현실이다. 그런 미국에서 난치성 질환에 대응 가능한 신약으로 개발할 잠재력이 큰 새로운 성분을 미국 FDA에서 인정받았다는 사실은 충분히 자랑할 만 하다.

우리 남해바다에서 창출한 씨놀은 예방적 물질이다. 몸 속 미세한 신체 환경을 개선해 질병이 발생하는 근원을 원천 차단한다는 데 의미가 있다. 임상 실험도 신뢰할 만 하다. 미국에서는 오하이오대학, 워싱턴주립대학, 미국국립노화연구소, UCLA 등에서 실행했고, 일본에선 교토대학, 오사카시립대학, 홋카이도대학 등이 주도했다. 한국 임상과 미국, 일본 등의 임상시험은 차이가 컸다. 한국에서는 임상을 주도하는 의사나 임상 참여자들에 대한 신뢰도가 떨어져 횟수와 대상을 늘리고 통계에 의존해야 했지만, 미국, 일본은 신뢰할만한 결과를 더 빨리 정확하게 얻을 수 있었다. 처음 임상을 의뢰할 때는 관절염이나 콜레스테롤 조정, 성기능 개선에서 어떤 반응을 보이느냐였다. 그러나, 모든 장기에 하나 같이 예상을 훨씬 뛰어넘는 결과를 보내온 사실은 대단히 고무적이고, 다행한 일이다. 예로서, 씨놀은 피가 굳어지는 것을 억제하여 혈액의 흐름을 원활하게 하는 효능이 탁월하다고 보고되었다. 염증을 낮게 하고 세포 파괴를 막는다고 보고됐다. 무엇보다 세포 내에서 손상된 장소를 찾아가는 능력이 놀랍다. 내과의사 경험상 단일 물질에서 그런 복합적인 효능을 보이는 건 예전에 없던 일이다.

특히 뇌혈관계 질환에 보이는 효능에 세계 의학계가 주목하고 있다. 씨놀은 어떤 고장나거나 약해진 세포 부위에 가서 작용하는 게 아니라 뇌로 진입해 뇌세포를 복원시킨다는걸 발견했다. 뇌 세포가 복원되고, 피를 잘 흐르게 하니, 혈류장애로 일어나는 온갖 병증이 근본적으로 개선되는 것이다.

씨놀이라면 치매 공포에서도 해방을 기대할 수 있다. 나아가 모든 노인성 질환에도 회춘의 빛이 되어줄 수 있다고 확신했다. 어린이나 청소년의 경우도 유전자가 가지고 있는 최대치를 살려 크고 잘생기고 건강하고 머리 좋은 성인으로 자라도록 씨놀이 도와줄 수 있다는 확신도 들었다. 더불어 이 책을 감수하게 되어 개인적으로도 영광이다. 모쪼록 한국에서 이 책이 출간되는 것을 축하드리며 보다 많은 한국분들이 이 책을 정독하면서 근본적이고 예방적 치료에 보다 힘써주시길 기대하면서 글을 마친다.

미국 버지니아 연구실에서 한정환

차례

1장

천혜 남해 바다가 준 선물

해양 폴리페놀이란 무엇인가

해양 폴리페놀이란 무엇인가 ────────

우리나라 남쪽 제주도 바다 청정 해역에서 1억7000만년 전부터 해초류 감태가 무성하게 자라고 있다. 한국말로 '감태'Ecklonia cava라고 한다. 해양 폴리페놀(MOP)은 감태에서 추출한 천연 물질이다.

이 물질이 탁월한 이유는 육상식물에서 생성되는 육상 폴리페놀보다 더 강력하고 약리작용이 탁월하며 특히 뇌 혈관 치료에 유효하다는 점이다. 매우 뛰어난 항산화 능력과 항염증 기능을 갖고 세포보호 작용이 뛰어나다. 중추신경계 질병이나 만성염증을 효과적으로 억제하여 면역체계를 개선하는 물질이 해양 폴리

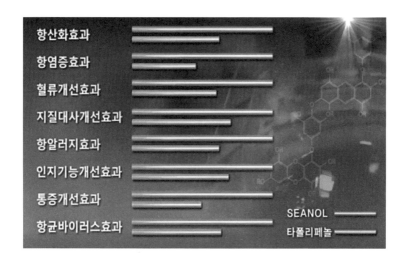

항산화효과

항염증효과

혈류개선효과

지질대사개선효과

항알러지효과

인지기능개선효과

통증개선효과

항균바이러스효과

SEANOL ─────

타폴리페놀 ─────

페놀이다. 아울러 MOP는 체내 독소를 줄이면서 면역력을 증강
시킨다. 특히, 코로나19 사태로 면역력 증강에 온 인류는 신경을
곤두세우고 있다. 그런 측면에서 MOP는 독보적이다.

2008년 미국FDA는 세계 최초 식이 성분으로 MOP의 효
능와 안전성을 인정했다. 이어 2018년 유럽에서 새로운 식품 성
분 인증을 받았다. 이를 기반으로 연구팀은 이 성분을 '바다'sea
와 '폴리페놀polyphenol(동일 분자 안에 수산기(OH)를 2개 이상 갖고 있
는 페놀)'을 합해 '씨놀'로 명명했다.

해양 폴리페놀로 만들어진 씨놀은 그야말로 손상된 세포의
치유 과정에 관여하는 신 물질이다. 우선 씨놀은 세포내외 수분
의 균형을 유지한다. 쉽게 말해 노화 및 수많은 질병의 원인이 되

는 세포의 탈수를 예방하는 기능에서 뛰어나다. 지금 이 순간에도 우리 몸속 세포들은 엄청난 양의 병원균을 죽이고 있다. 씨놀은 세포의 이런 역할을 돕는 물질이다. 특히 바이러스 병원균성 질환에 걸릴 확률을 확 낮춰준다. 아울러 암을 유발하는 염증, 알츠하이머 치매 등에서 광범위하게 예방하는 작용을 한다. 이를 토대로 씨놀은 의약품, 스킨케어, 화장품, 음료수, 치약과 같은 다양한 필수품에 원료로 널리 사용되어왔다. 특히 여성용 화장품에서는 탁월한 효과를 나타내고 있다.

아울러 연구팀은 다양한 씨놀의 효과를 볼 수 있는 식품 첨가물로 미웨이MIWEI를 개발했다. 미웨이는 소금, 설탕의 흡수율을 제어하고 동시에 음식의 맛과 보존성을 향상시킨다. 또한, 천연 식품 첨가물 '미웨이'도 생산하기 시작했다.

우선 해양 폴리페놀이란 무엇인지 자세히 설명하면서 이 글을 시작하려 한다. 이 물질을 제대로 알아야 우리 몸속에서 기능하는 씨놀을 이해할 수 있다.

폴리페놀은 항산화물질 중 하나로 그 종류는 무려 5,000종이 넘는다. 비교적 널리 알려진 것은 녹차에 든 카테킨, 포도주의 레스베라트롤, 사과, 양파의 케르세틴 등이 대표적이고, 육상에 서식하는 각종 과일에 다량 함유된 플라보노이드와 이소플라본 등도 폴리페놀이다.

폴리페놀은 식물이 자외선으로부터 스스로를 보호하기 위

해 만들어내는 일종의 방어물질이다. 이 방어물질이 우리 몸에 들어오면 세포를 보호하고, 외부 유해 물질을 제거한다. 보통 폴리페놀은 과일과 채소의 씨앗과 뿌리에 많이 분포돼 있으며 떫고 쓴 맛을 내고, 식물 고유의 색깔을 만들어낸다.

폴리페놀 효능이 유명해진 것은 1990년대이다. 프랑스인의 식습관을 연구한 TV프로그램에서부터다. 프랑스인들은 육류 섭취가 많음에도 불구하고 심혈관계 질환이 미국인의 3분의 1수준에 불과하다.

도대체 그 이유가 무엇인가. 시청자들은 궁금했다. 이유는 프랑스인이 자주 마시는 레드와인에 들어있는 폴리페놀이라는 것이다. 폴리페놀이 몸속 세포를 보호한다는 것이다. '프랑스인의 역설'이라는 '프렌치 페러독스French Paradox'란 말도 등장했다. 육류 섭취가 최고 수준이지만, 병치레가 그리 높지않다는 의미다.

그런데, 육상에서 나오는 폴리페놀에는 치명적 약점이 있다. 수용성 폴리페놀은 뇌 혈관세포까지 제대로 전달되지 않는다는 점이다. 뇌세포는 기름막(지방질)으로 둘러쌓여 있어 수용성 폴리페놀의 경우 물에 빨리 용해되어 체외로 배출된다. 아무리 많이 섭취해도 세포 말단에 효능이 도달하지 못한다면, 값비싼 영양제를 섭취해도 별 의미가 없다. 그런 점에서 해양 폴리페놀, 즉 씨놀은 탁월한 효능을 발휘한다. 이에 대해선 제8, 9장에서 상세히 설명해놓았다.

위에 간략히 언급한 것처럼 폴리페놀은 우리 몸속에서 매우 다양하게 이로운 물질이다. 대표적으로 몇 가지를 우선 소개한다.

첫째, 노화예방이다.

젊음을 오랫동안 유지하기 위해서는 활성산소의 억제 또는 균형조절이 중요하다. 폴리페놀은 항산화 작용으로 유해 활성산소를 제거하는 역할을 한다. 활성산소 중에는 몸에 이로운 활동을 하는 기능도 있다. 페놀 분자가 2개 이상 결합한 화합물이 폴리페놀이다. 폴리페놀이 항산화작용을 하는 이유는 하이드록시기(-OH = 수산기) 때문이다. 하이드록시기가 항산화에 가장 이로운 물질이다. 앞에서 설명했듯이 폴리페놀은 특히 과일류에 많이 들어있다. 그래서 과일이나 야채를 많이 섭취하면 젊어진다는 말이다.

폴리페놀 : 건강하게 장수하는데 절대 필요한 물질

두 번째, 콜레스테롤 수치를 확 낮춰 준다. 인체 내 콜레스테롤 수치가 높아지면 각종 혈관 질환을 일으키게 되고 성인병으로 이어진다. 폴리페놀은 혈중의 콜레스테롤 수치를 정상적인 자연상태로 유지함으로써 성인병 발병을 사전에 늦추거나 저지하는 데 도움을 준다.

폴리페놀은 수용성과 지용성으로 나뉜다. 크게 분류해 물에 잘녹는 수용성과 지방질에 잘녹는 지용성 물질로 구분된다. 몸속 세포막은 주로 불용성 인지질로 이루어져 있다.

잠깐 앞에서 언급한 바와 같이, 육상 식물에서 얻는 폴리페놀류는 주로 수용성 물질로 가수분해형이다.

따라서 섭취 시 물과 만나 용해되는 경우가 많다. 녹차의 카테킨은 가수분해형이다. 몸 속에서 물과 만나면 분해되어 몸속 가장 작은 단위인 세포까지 잘 전달되지 않는다. 그렇기에 수용성보다는 수분에 녹지않는 지용성 물질이 세포막과 잘 융합한다. 지용성 폴리페놀이 유효하다.

지용성 폴리페놀은 말단 몸속 세포까지 파괴되지 않고 잘 전달되는데 유리하다. 특히, 뇌의 신경세포는 주로 불용성 인지질로 이루어져 있기 때문에 수용성보다는 지용성 폴리페놀이 뇌에 유용하다.

이같은 설명을 토대로 해서 폴리페놀의 종류와 특성을 크게 몇 가지로 설명한다.

카테킨 : 카카오와 녹차, 홍차 등에 많다. 카테킨의 항산화력은

비타민E의 200배, 비타민C의 100배에 달한다. 카테킨은 체내 노폐물을 배출하는 효과가 있으며 집중력을 강화하고, 두뇌활동 증진에 도움이 된다. 2006년 하버드의대 브리검여성병원 나오미 피셔 박사팀이 발표한 연구에 따르면, 76세 남성에게 카테킨이 풍부한 카카오를 1주일 동안 섭취하도록 한 후 뇌 단층촬영했다. 그 결과, 섭취 전보다 기억력과 집중력을 관장하는 뇌 일부 부위 가 9%가량 활성화되었다. 또한 혈압을 낮추는데도 효과가 있었 다. 카테킨이 인체 항상성을 유지하고, 혈관 탄력성을 높이는 산 화질소를 증가시켜 혈관을 깨끗하게 만들기 때문이다. 독일 쾰른 대학병원 도버트 교수팀이 고혈압 환자 44명에게 18주 동안 매 일 다크초콜릿 한 조각씩 먹도록 한 결과, 혈압이 20% 떨어졌다.

안토시아닌 : 포도, 자색 고구마, 블루베리, 크랜베리에 많다. 안 토시아닌은 체내에서 활성산소에 의한 세포의 손상을 막는다. 또 한 혈전이 생기는 것을 막아 혈액순환을 원활하게 하고, 심장질 환을 예방한다. 인지능력 향상, 뇌 손상 방지 등 뇌 건강에도 영 향을 미친다.

레스베라트롤 : 포도와 라즈베리, 크랜베리에 많다. 레스베라트 롤은 스트레스를 억제하고 예방하는 효소 물질인 '카탈라아제' 활성을 높여 심혈관을 보호한다. 또한 동물실험을 통해 레스베라

트롤이 암 세포를 사멸시킨다는 사실도 밝혀졌다.

케르세틴 : 양파·사과에 풍부하다. 모세혈관 강화작용과 혈전을 예방하는 효과가 있다. 또한 체내 지방 배출을 촉진해서 체중 감량에 효과적으로 기능하는 물질이다.

불용성 인지질 : 콩, 견과류, 계란, 브로콜리, 등푸른생선 등에서 추출되며, 산화되는 세포막의 손상을 방지하고 복원시키며 간에서 복합인지질로 분화·합성되는 세포막의 주요 성분이다.

그러나, 폴리페놀의 과잉 작용도 있다. 혈소판 응집, 혈관수축 작용이 있는 트롬복산 A2의 합성 저해 작용 등이 있다. 체내에 침입한 세균 등을 호중구가 죽일 때도 활성산소가 사용된다. 활성산소의 제거 작용은 면역을 약하게 할 가능성이 있다. 여러 가지 골고루 다양한 영양 섭취가 중요하다는 의미다.

씨놀은 무엇인가

씨놀은 무엇인가

씨놀^{Seanol}이란, 우리나라 남쪽 바다에 서식하는 감태(Ecklo-nia cava)에서 추출한 폴리페놀의 복합체이다. 감태는 주로 제주 근해 청정 바다와 남해 바다에 서식하는 갈조류(Brown Algae)의 일종이다. 폴리페놀은 식물이 자외선으로부터 자기보호, 즉 세포 파괴를 막는 물질을 만들어낸다. 폴리페놀의 몸속에서의 주된 기능은 항산화작용, 항염, 세포재생, 혈행 개선 등을 수행한다. 페놀이 다수로 결합된 것을 폴리페놀이라고 하며, 수산기(하이드록시기)가 1개 많아질수록 효능은 2~4배 강해진다.

감태는 주로 전복이 먹고사는 해조류이다. 장수를 상징하는 대표적인 생물인 바다거북이는 전복을 먹고 생명을 유지한다. 전복 양식장에서는 감태를 먹이로 공급한다. 감태는 바다 속 오염 물질을 정화하는 특수한 기능을 발휘하는 유익한 생물이다. 바다의 사막화를 막는 그야말로 청정 해조류가 감태인 것이다.

바다 거북이 ▶ 전복 ▶ 감태
(바다의 사막화를 방지하는 청정 해조류)

감태는 바닷속 30~40m에서 서식하며 감태가 무성한 바다에는 물고기와 갑각류를 비롯한 생물들이 다양하게 서식하고 있다. 그러나, 감태가 없는 지역은 황폐해져 아무것도 서식하지 못하는, 바다의 사막화가 되고 만다는 사실은 놀랍기만 하다.

감태는 햇빛의 자외선으로부터 자신의 생명을 지키고, 손상된 세포를 복원하는 물질이다.

감태는 육상 식물에서 보기 힘든 강력한 '화이토케미컬'을 생성한다. 또한 감태는 자외선으로부터 자신의 세포 DNA를 안전하게 지켜주고, 세포 복원 메카니즘을 활성화시키는 '세포 활성화 성분'도 생성한다. 그야말로 바다라는 열악한 생존 조건에서 번성하면서 해양 생태계를 풍요롭게 해 온 바다 식물이 감태이다.

감태는 1억7000만년 동안 진화해 온 바다가 탄생시킨 자연의 선물이다. 바다가 인류에게 주는 축복의 선물이다. 이같은 감태에서 추출한 폴리페놀 복합체가 바로 '씨놀'이다.

씨놀의 약효를 나타내는 주성분은 엑클로탄닌$^{Ecklo\ tannin}$이다. 의학적으로 모두 16종류가 분리되고 정제되어 이 중 14종류가 약용으로 쓰인다. 이 성분은 마디풀과의 여러해살이 풀, 대황^{大黃}에도 많이 들어 있으며 대부분이 탄닌 계열의 폴리페놀이다.

녹차의 카테킨은 가수분해 형으로 몸속에서 물과 만나면 4개의 링 구조(화학구조)가 분해되어 1~2개의 링 구조를 가진 형태로 바뀐다. 반면 탄닌 계열의 폴리페놀은 가수분해형이 아니다. 자신이 원래 가지고 있던 화학구조 그대로 인체 내에 흡수되어 약리작용을 한다. 링 구조가 많을수록 파괴되지 않고 몸 속에서 필요 기관의 세포 속에 그대로 전달된다. 감태에서 추출된 폴리페놀은 링 구조가 4~8개로 다양한 형태로 추출되는데 그 하나하나의 폴리페놀은 수용성과 지용성의 양쪽 특성을 모두 가지고 있다.

씨놀 탄생의 배경 _____

씨놀은 이행우 박사와 그 동료 연구진이 25년 간 연구와 노력으로 이뤄진 결실이다. 씨놀 연구팀은 우리 손으로 만든 '세계 최초의 신물질'이라는 모토 아래, 피땀어린 연구를 거듭해왔다.

치료 효과는 기존 약물보다 월등하면서도 독성은 사과보다 적은 신 물질이다. 이는 미국과 한국 일본 등 각종 실험에서 입증되어 왔다.

잘 알려진 것처럼 해조류는 몸속 대사작용 과정에서 생성되는 독성을 제거하는데 탁월하다. 체르노빌 방사능 유출사건 이후 러시아와 일본의 과학자들은 해조류에서 방사능 물질을 제거하는 물질을 찾고자 노력한 사실이 있다. 미국 여성들은 아이를 낳고도 미역국을 먹지 않지만 우리나라 여성들은 예로부터 해산 이후 미역국을 먹으면 몸이 풀어진다고 했다.

국내외 해양식물을 놓고 연구를 거듭하던 연구팀은 '감태'라는 해조류에서 신물질을 발견해냈다. 제주도 앞바다에서는 한때 감태가 사라지는 자연재해에 부닥쳤지만, 곧 이를 해결했다. 감태 양식의 기술 개발에 착수, 감태 양식에 성공하여 원료 공급 문제를 원천적으로 해결하였다. 향후에는 감태 DNA를 배양하여 실내에서도 감태를 양식 생산할 수 있게 되었다.

그 후 지속적인 임상 실험을 통해 씨놀Seanol은 현대 의학에서 포기했던 치매, 파킨슨씨병, 혈액암(백혈병) 등 난치성 질환에 도전했다. 유의미한 결과를 도출하면서, 원천적 치료의 가능성을 높였다. 연구진은 향후 상용화될 각종 건강 보조식품, 특히 퇴행성 뇌질환 해결을 위한 보조식품에 많은 기대를 걸고 있다.

2장

노화에 대한 생물학적 이해

텔로미어 가설

텔로미어 가설

생물 의학 연구에서 난제는 노화에 대한 규명이다. 현재 전 세계 의학계는 노화를 자연적 현상으로 받아들이는 측과 노화는 늦출 수 있다는 측으로 엇갈리고 있다. 필자는 노화는 노력 여하에 따라 얼마든지 늦출 수 있다는 쪽에 맞춰 서술하고자 한다. 우선 노화란 무엇인가.

첫째는 텔로미어Telomere 가설이다. 백발이 성성한 머리칼, 세월이 깃든 주름은 늙고 있다는 흔적들이다. 몸속 세포들이 더 이상 스스로 유지, 보수할 수 없고 새로운 세포를 생성할 수 없는 상태이다. 인간의 몸은 100조 개가 넘는 세포로 구성돼 있다. 세포는 각 기관을 구성하는 최소의 구성 단위이다. 세포속에는 다양한 유전자 정보들이 들어있다. 위장 내벽 세포는 2시간 반 정도 살다 죽고, 새로운 세포로 대체된다. 적혈구는 3개월을 살다 새 세포로 교체된다. 얼굴 표피 세포는 25~30일 정도 생존하며 1년 정도면 몸의 모든 세포는 새 세포로 교체된다고 알려져있다.

1961년 세계적인 해부학자 레너드 헤이플릭Leonard Hay-flick(1928~)은 인간 세포는 보통 70번 정도 분열하면 더 이상 분열하지 않는다는 연구성과를 발표했다. 이를 '헤이플릭 한계'라고 이름 붙였다. 1980년대 분자생물학자 엘리자베스 블랙번Eliz-abeth Helen Blackburn(1948~)은 인간 수명은 세포의 염색체에 양 끝의 텔로미어와 관련있다는 논문을 발표했다.

텔로미어란 염색체 끝에 단백질로 감싼 말단 DNA이다. 마치 신발 끈의 끄트머리에 비유할 수 있다. 신발 끈의 끄트머리는 보통 플라스틱이나 금속으로 마감처리 되어 있다. 신발 끈의 끝부분에 그런 마감이 되어있지 않으면 신발 끈은 쉽게 헤질 수 있다. 텔로미어도 마찬가지다. 세포가 분열할 때마다 염색체 끝에 있는 텔로미어가 짧아진다. 이것이 다 닳아 소멸되면 세포분열을 멈춘다는 가설이다. 세포가 분열을 멈춘다는 것은 수명을 다했다는 의미다. 즉 세포가 노화돼 죽는다는 것, 그러니까 우리 노화와 수명에 직접 역할하는 것이 바로 텔로미어 마모 여부라고 추정할 수 있다.

　당시 블랙번은 염색체에서 텔로미어를 만드는 효소, 즉 텔로머레이스를 발견했다. 생쥐 실험을 통해 텔로머레이스가 노화를 조절한다는 사실을 발견했다. 그녀는 죽어가는 생쥐에 텔로머레이스를 주입하자 당시 생기를 되찾는다는 사실을 발견했다. 그런데 문제는, 이 텔로머레이스가 비정상적으로 활성화되었을 때 출현하는 세포가 바로 암세포라는 사실을 알아냈다.

　그러면 암세포의 무한 증식을 막으려면 비정상적 텔로머레이스를 차단하면 되지 않을까? 스위스 로잔공대 연구팀은 암세포 텔로미어의 손상과 짧아짐을 막아주는 항산화 효소 두 가지를 발견했다. 연구팀은 암세포로 가는 이들 두 효소를 차단하면 암을 억제할 수 있다는 사실을 확인했다. 암세포 텔로미어가 텔로머레이스 효소에 의해 보충되지만, 결국 암세포가 자연적으로 죽도록 만드는 방법이다. 사람마다 텔로미어의 길이는 서로 다르다. 선천적 이유보다 후천적인 이유로 텔로미어 길이가 결정되는 경우가 많다는 점이다. 후천적으로 텔로미어 길이가 짧아지는 원인으로는 사회생활과 업무가 주는 스트레스, 과다 음주, 흡연 등 무절제한 습관에 있다고 알려져 있다.

　그러나, 몸을 관리하는 주인이 몸이 돌아가는 이치를 잘 알고 관리한다면 인간의 생물학적 최대 수명인 125세까지 살 수 있다. 텔로미어 가설은 바로 이것이다. 영국 레스터대학 연구팀은 빨리 걷는 것과 생물학적 연령 사이의 연관성이 있는지 알아보았다. 그 결과, 빠르게 걷는 사람은 그렇지 않은 사람에 비해 염색체 끝에 있는 '텔로미어'의 길이가 더 길었다고 발표했다.

수분 부족과 활성산소

수분 부족과 활성산소 ─────────────────

노화의 원인으로 꼽는 두 번째 가설은 수분 부족과 활성산소이다.

한때 활성산소가 노화의 주범으로 꼽히기도 했다. 특히, 업무 등으로 인한 과도한 스트레스는 몸속 각종 기관들을 긴장시키고 과도한 활성산소를 발생시킨다. 활성산소의 발견은 근대 의학의 최대 발견 중 하나로 인정받지만, 몸속에서의 역할은 긍정과 부정으로 구분된다.

먼저 부정적 측면이다. 활성산소는 숨을 쉬는 과정에서도 장시간 발생된다. 인체가 들이마시는 산소 가운데 5%가 활성산소로 변한다. 세포내 미토콘드리아는 산소와 포도당을 원료로 지속적으로 에너지를 생산하는데, 몸속 복잡한 과정을 거쳐 필수적으로 생성되는게 활성산소이다.

몸속에서 활성산소 수명은 매우 짧지만 지질과 만나면 만성 염증을 일으킨다. 정상세포를 파괴하여 각종 암이나 난치 질환의 원인이 된다. 숨을 쉬고 산소를 소비하는 동안에도 지속적으로 발생되고, 운동이나 등산 등 산소 소모를 많이 할수록 더 많이 발생한다. 그렇다고 활성산소를 없앨 수는 없다. 우리 몸의 대사과정에서 필수적으로 발생하는 물질이기 때문이다. 활성산소가 건강을 위협하는 최대의 적이라는 내용이 2000년대 이후부터 새로운 만병의 원원으로 지목되고 있다.

반면, 활성산소만이 많은 질병의 원인이 되는 것이 아니다. 과거 활성산소가 밝혀지기 전에도 오래 생존한 사람들은 많았다. 다만 활성산소가 체내 많이 쌓이면 좋지 않다는 얘기다. 운동을 하거나 자외선 노출 등의 경우에도 부산물로 생기지만 그 양은 극미량이고 금방 불활성화된다. 쉽게 생겨나서 쉽게 운반되는 게 아니다. 힘들게 생겨나서 금방 사라져버리는게 활성산소이다.

활성산소는 수돗물을 소독하는 데에도 사용된다. 보통 수돗물은 염소로 소독한다고 알려져 있다. 그러나, 그게 아니라 염소 소독의 원리가 바로 활성산소이다. 염소를 물과 반응시켜 만들어지는 활성산소가 물 속 살아있는 병원균이나 세균을 죽이는 것이다.

활성산소의 존재가 몸에 좋지만도, 나쁘지만도 않다는 것이다. 활성산소 보다 더욱 위험한 다른 이유(알코올, 담배 등)로 인해 염색체가 손상을 입게 되고, 노화를 재촉하는 것이다.

수분과 활성산소의 관련성

수분과 활성산소의 관련성 ────────────

질병의 원인으로 활성산소 만큼 많이 거론된 요인도 없을 성 싶다. 활성산소는 세포변성의 원인으로 이미 오래 전부터 알려진 몸속 물질이다. 산소는 좋은데 활성산소는 그렇지 않다는 이야기다. 각종 성인병과 암, 노화 등과 관련하여 그 원인 물질로 활성산소 문제를 거론하고 있다. 어떤 정수기 회사는 몸속 활성산소 제거하는 물을 개발하였다면서 대대적인 홍보를 한 적이 있다.

그러나, 위에서 설명한대로 활성산소는 몸속의 생화학적 대사과정에서 정상적으로 발생하는 물질이다. 백혈구와 같은 세포질 내에 존재하여 몸속 세균을 살멸하는 등 좋은 기능도 갖고 있다. 또한 몸속에서 생성된 활성산소는 평소 몸속에서 제거되기에 해로운게 아니다.

그러나, 활성산소는 위에서 언급한대로 다른 분자 물질과 결합하려는 강력한 특성을 갖고 있다. 생체막이나 DNA, 단백질 등 물질을 공격하는 유해 요소로도 작용한다. 활성산소의 이러한 생화학적 공격성으로 말미암아 각종 질병을 초래한다고 의학계는 합리적인 의심을 하고 있다. 그러나, 결론부터 말하면 활성산소 문제는 표면적인 문제이다.

몸속에서 수분이 부족하면 몸의 전체적인 대사는 불완전하게 된다. 이를 테면 암의 직접 원인 가운데 하나는 수분의 만성부족에 기인한다. 그렇다면, 활성산소 문제는 극히 작은 표면적 문제랄 수 있다. 몸에 수분이 충분하다면 암은 발생하지 않을 것이다. 활성산소나 방사선 등이 DNA를 손상시켰더라도, 몸속 생체 메커니즘에 따라 충분한 수분만 섭취하면 바로 복구된다. 암으로 이어지지 않는다는 것이다. 이것이 바로 사람이 갖고 있는 면역의 본체이며, 놀라운 기능이다. 또한 수분의 항상적 기능을 통한 회복기전의 근본이기도 하다.

물은 산소 한 개와 수소 두 개로 만들어진 간단한 구조의 분자 형태를 이룬다. 산소 원자 쪽은 약 음성을, 수소 원자 쪽은 약

양성의 전하를 띠고 있다. 극성을 갖는다. 물 분자의 이 같은 특성 때문에 물은 결합형태로 존재한다.

물 분자 사이뿐 아니라, 단백질 및 DNA 분자를 포함한 각종 생체 분자들 간에, 또는 수소결합(hydrogen or H-bond) 형태로 존재한다. 바로 생체조직에서 분자 구조 유지의 기본이 된다. 이에 근거하여 물은 면역성의 본체가 되는 것이다.

몸속에서 수분만 보장이 된다면, 어떠한 음식이라도 우리는 자유롭게 먹고 소화할 수 있다. 맛을 더한다면, 다할나위 없을 것이다. 식이요법 등 음식 제한에 따른 각종 속박에서 다소 해방될 수 있다. 수분만 제대로 보충된다면 말이다.

인체가 지니는 고유의 면역성(항상성)을 기초로 해서 몸 스스로가 취사 선택한다는 사실을 기억할 필요가 있다. 말하자면, 지방 덩어리를 먹는다고 하더라도 몸의 취사 선택에 따라 흡수되고, 다른 성분으로 전환하여 사용하기도 한다. 이것이 인간 몸의 항상성이며, 자율성이며, 면역성이다.

따라서 노화의 주범도 활성산소가 아니다. 수분 부족에서 기인하는 것임을 인식할 필요가 있다. 스트레스나, 과격한 운동, 과식 등을 활성산소 발생과 연관 짓고 있지만, 이는 직접적 노화의 주원인은 아니라는 것이다. 물론 과도한 것은 항상 몸에 해롭다. 노화의 이면에는 항상 수분 부족이 자리잡고 있음을 인지할 필요가 있다.

몸의 70%나 차지하는 수분의 역할은 무시하고, 부차적인 활성산소를 떼려잡는다는 일부 의학계 주장은 참으로 역설적이다. 씨놀, 다시말해 해양 폴리페놀은 바로 몸의 항상성의 기본인 수분의 흡수를 촉진하고 돕는 역할을 한다는 점이다. 그야말로 씨놀의 몸속 기능을 주의 깊게 살펴볼 필요가 있다. 씨놀과 수분의 관계를 보다 자세히 후술할 것이다.

세포의 사멸과 씨놀

세포의 사멸과 씨놀 _____

사람이 늙어가는 주된 이유 중 세번째로, 말단 세포의 노화와 죽음을 꼽는다. 고려대 생명과학부 최의주 교수에 따르면 세포는 단순히 시간의 흐름에 따라 늙어간 끝에 생명을 잃는 수동적 존재가 아니다. 세포의 사멸은 오히려 능동적이다. 인간의 몸을 이루는 수많은 세포는 서로 의사소통을 주고받는다.

그런데, 바이러스 감염 등 다양한 이유로 문제 세포를 없애야 한다는 신호가 발생한다. 표적으로 지목된 세포의 표면에 호르몬 수용체가 달라붙어 표적세포를 죽인다. 다시 말해 죽어야 할 세포가 죽고, 살아야 할 세포가 살아 있는 균형 상태가 건강한 신체이다. 이런 균형이 깨졌을 때 질병이 발생한다. 암은 죽어야 할 암세포가 죽지 않고 증폭되면서 생기는 질환이다. 반대로 치매는 살아야 할 뇌세포들이 계속 죽으면서 발병한다.

세포가 힘을 잃으면 노화된다. 세포 노화·사멸에 결정적인 역할을 하는 것은 정신적 스트레스, 흡연, 과음, 과식 등으로 발생하는 '산화 스트레스'다. 산화 스트레스에 지속적으로 시달린 세포는 '노화 세포'로 성질이 바뀌면서 정상 세포에선 볼 수 없는 특수한 물질을 내뿜는다. 이 물질은 주변 정상 세포를 노화시키고 염증을 일으킨다.

세포 하나에서 시작된 노화는 몸속 조직을 늙게 하고 생명체까지 늙게 한다. 우리 몸과 세포는 항상 외부 자극에 노출되어 있다. 정상 세포는 자극으로 발생한 상처를 치료할 때 필요한 유전자·단백질을 만들 수 있다. 그러나, 늙은 세포에는 이런 치유 능력이 없다. 상처를 회복하지 못한 세포는 결국 죽는다. 이런 과정이 쌓이고 반복되면 몸속 조직들이 하나씩 제 기능을 못하고 늙게 된다.

고려대 최의주 교수에 따르면 세포는 탄생부터 사망까지 크게 3가지 과정을 거친다. 생성, 분화, 사멸이다. 아이가 만들어지는 과정을 보면 이해할 수 있다. 난자와 정자가 만나 하나의 세포가 생성되고 팔, 다리, 폐, 심장 등 기능에 따라 세포가 분화한다. 이후 자라나서 살다 결국 '사멸'한다. 세포가 죽는 과정은 그렇게 수동적이지 않다. 오히려 능동적인 생성 파괴의 과정이다. 모든 세포 안에는 그 세포를 죽게 만드는 유전자, 단백질이 있다. 이들이 활성화되면 문제 세포는 죽는다. 바이러스에 감염되는 등 주변 세포들에 악영향을 미치는 세포에 대해선 죽어야 한다고 몸속 세포들끼리 신호를 보낸다.

최교수 연구에 따르면 모든 세포는 역할과 지위가 다르다. 여러 세포들을 통솔하는 상위 세포가 있다. 상위 세포가 A, 바이러스에 감염된 세포를 B라 하자. B세포가 없어져야 한다는 신호가 발생하면 A세포가 호르몬을 만들고, 그 호르몬이 B세포 표면에 달라붙는다. 단순히 세포 표면에 붙는 게 아니다. 세포 껍질에 있는 수용체와 호르몬이 결합해 세포의 사멸을 촉진하는 유전자 혹은 단백질을 활성화시킨다. 세포가 죽는 건 정상적인 생체현상이다. 간단히 말해 죽을 세포는 죽고, 살 세포는 사는 게 건강한 상태다. 반대로 건강이 안 좋다는 건 그 균형이 깨진 상태다. 불필요하게 세포가 많이 죽거나, 죽어야 할 세포가 죽지 않으면 질병이 발생한다.

치매의 경우 뇌세포가 불필요하게 많이 죽어 기억력을 비롯한 인지능력이 퇴화하는 질병이다. 뇌세포에 피해를 주는 자극이 세포 사멸을 과도하게 활성화시키면서 뉴런들이 죽는다. 루게릭병을 예로 들 수 있다. 루게릭병은 뇌와 척수 등 중추신경에 있는 운동 신경세포가 죽으면서 몸이 마비되는 질환이다.

세포가 죽으면서 벌어지는 것

세포가 죽으면서 벌어지는 것 ──────────

우리 몸속에서 세포가 죽는 방식은 크게 두 가지로 구분한다. '아포토시스'와 '네크로시스'가 그것이다. 세포의 괴사나 병들어 죽음을 의미하는 네크로시스^{necrosis}와 아포토시스^{apoptosis}가 있다.

네크로시스는 화상과 타박, 독극물 등의 자극에 의해 일어나는 세포의 죽음이다. 일종의 사고사라고 할 수 있다. 이는 세포 밖에서 수분이 유입되어 세포가 팽창하여 파괴된다.

과거 세포의 죽음은 모두 네크로시스로 분류됐다. 그러나,

최근 연구 결과 세포에는 자발적인 죽음을 일으킨다는 사실이 밝혀졌는데, '아포토시스'라고 한다. 유전자로 제어되는 능동적인 세포의 죽음이다. 네크로시스가 오랜 시간에 걸쳐 무질서하게 진행되는 데 반해 아포토시스는 단시간에 질서있게 진행된다.

아포토시스는 세포가 축소되면서 시작된다. 세포 내에서 DNA가 규칙적으로 절단되어 단편화되는 방법으로 세포가 죽는다. 대식세포가 마지막으로 잡아 없애버린다.

아포토시스는 발생 과정에서 몸의 형태 만들기를 담당하고, 정상 세포를 갱신하거나 이상 세포를 제거하는 일을 담당하고 있다. 다시 말해, 세포가 평화롭게 작은 파편들로 부서지고 이를 대식세포가 청소하는 게 이상적인 아포토시스의 작용이다.

반면 '네크로시스'가 발생하면 죽은 세포가 조용히 쪼개지는 게 아니라 폭발한다. 이 경우 세포 파편은 물론 세포 속 물질이 사방에 튀어 염증 원인이 된다. 이에 대한 의학적 연구는 아직 진행중이다.

현재 전 세계 과학계에서 세포 노화와 사멸에 대한 연구는 아직 초보 단계이다. 세포 노화와 사멸의 주된 원인으로 '산화 스트레스'를 꼽는다.

산화 스트레스는 활성산소를 유발한다. 활성산소가 과다한 경우 정상 세포가 기존 성질을 잃고 노화한다. 이로 인해 주변 세포의 노화까지 촉진시키고 염증을 일으킨다. 산화 스트레스를 중화시키는데 항산화 물질이 필요하다.

　최근 주목받는 항산화 물질로 해양 폴리페놀(씨놀)이 회자된다. 최근 해외 의학계는 씨놀에 대한 연구에 집중하고 있다. 씨놀의 항산화 능력은 다음 장에서 보다 자세히 설명한다.

3장

씨놀의 항산화 효능

항산화 의미와 보충

항산화 의미와 보충

    우리 몸속에서 매우 중요하게 작용하는 항산화는 산화 억제를 뜻한다. 세포 노화를 방지하는 것은 항산화와 매우 관련이 깊다. 세포 노화는 곧 세포의 산화를 의미한다고 볼 수 있다. 호흡을 통해 몸에 들어온 산소는 몸에 이로운 작용을 하지만 이 과정에서 활성산소가 만들어진다. 생체활동에 이상이 발생하면 활성산소가 과다 생성된다. 지나친 활성산소는 산소를 불안정 상태로서 신체에 나쁜 영향을 주는 악순환을 이룬다. 따라서, 활성산소를 적절히 유지하는 것이 세포의 산화, 세포의 노화를 막는데 주요한 원리인 것이다. 만병 근원인 세포의 노화를 방지하기 위해

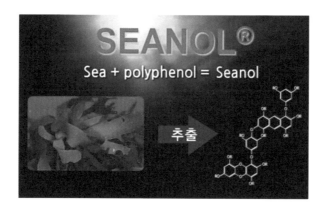

나이가 들수록 적절한 항산화제 섭취가 필요하다.

항산화 물질^{antioxidant}이란, 산화를 방지하는 물질을 두루 가리킨다. 항산화 작용을 하는 물질로는 카로티노이드류(베타카로틴, 라이코펜, 루테인), 플라보노이드류(안토시아닌, 카테킨, 레스베라트롤, 프로안토시아니딘), 이소플라본류(제니스테인, 다이드제인), 비타민 C 등 비타민류, 미네랄, 토코페롤, 셀레늄, 글루타티온(아래 그림) 등이 있다.

활성산소는 강한 반응성 때문에 다른 물질을 쉽게 산화시킨다. 세포와 조직을 산화시켜 손상을 가한다. 항산화 물질은 세포와 조직을 산화시키는 활성산소를 제거하는 물질이며, 결과적으로 세포의 산화, 노화를 막는 작용을 한다. 항산화제로 분류되는 물질은 수가 많고 각각 항산화 정도 역시 다르다.

항산화제가 포함된 식품은 항산화제 뿐만 아니라 항산화제의 항산화 활성을 늘려주고 보조해주는 물질이 같이 들어있는 경우가 많기 때문에, 항산화제가 적게 포함되어 있어도 강한 항산화 활성을 보여준다.

활성산소는 전자 상태가 극히 불안정한 상태에 있어 다른 분자나 원자에서 전자를 하나 빼앗는 성질이 강하다. 그래서 활성산소는 정상적인 건강 세포를 만나 손상시킨다. 이어 정상 세포는 암세포로 변성되거나 괴사한다. 항산화제는 반응성이 높은 산소종ROS, Reactive oxigen species에 자신의 전자를 하나 내어줌으로써 정상세포의 파괴를 막는 역할을 한다. 따라서 항산화제의 결핍이나 부족은 정상세포의 파괴를 초래한다. 노화와 질병 원인 중 하나가 이것이다.

항산화제는 고분자 항산화제와 저분자 항산화제로 구분된다. 고분자 항산화제는 분자량이 3만 이상으로 매우 커서 외부에서 섭취되어도 흡수가 잘 안되고(장기에서 흡수될 수 있는 물질의 분자량 5000~6000 수준), 몸 내부에서 웹타이드와 비타민, 미네랄에 의해 합성되는 효소들이다. 대표적인 항산화 효소는 SOD, 카탈라아제, 글루타치온, 퍼옥시다아제 등이 있다. 세포 호흡을 담당하는 미토콘드리아에 중요한 SOD의 경우 40세 이후가 되면 활성산소에 대항하는 능력이 급격히 줄어든다. 상처의 회복이 느려지고 활성산소의 세포공격을 막을 수가 없게 된다. 이로 인해 건강한 사람과 젊은 사람에 비하여 노인이나 환자는 회복력이 크게

	분자량	생성/유입	항산화영양소
고분자 항산화 효소	3만~	몸(간)에서 주로 합성	- SOD - 카탈라아제 - 글루타치온 퍼옥시다아제
저분사 항산화 효소	200~400	음식으로 섭취	- 비타민 A, C, E - 항산화 효소 지원 미네랄 (셀레늄, 아연, 망간, 구리, 마그네슘) - 화이토 케미컬 (폴리페놀, 카로티노이드, 클로로필)

떨어지는 이치다. 40세 이후 사망률이 지속적으로 상승하는 이유이기도 한다. '곤페르츠 사망법칙'에 따르면 나이가 8살 늘때마다 사망률은 2배가 높아진다는 것이다.

저분자 항산화제는 분자량이 약 200~400정도 되는 물질로, 음식물로 섭취하여 장기에서 흡수되는 물질들이다. 신체 노화가 진행되면, 저분자 항산화 효소의 몸속 생산능력이 급격히 저하된다. 40세 이후 저분자 항산화제의 외부 섭취가 매우 중요한 이유이다.

저분자항산화제는 크게 3가지로 분류된다. 비타민 항산화제, 미네랄 항산화제, 화이토케미컬 항산화제 부류이다.

비타민, 미네랄, 화이토케미컬

비타민, 미네랄, 화이토케미컬 ─────────

비타민 항산화제의 대표적인 것은 비타민 A, C, E 이다. 비타민A, E는 지용성 항산화제로 주로 세포막에 작용한다. 비타민A는 베타카로틴 형태로 섭취하며, 베타카로틴은 필요시 비타민A로 전환된다. 당근, 호박, 고구마와 같은 채소에 풍부하게 들어 있다. 비타민C는 수용성 항산화제로 세포 내부에 작용하고 비타민E의 재생에 관여하며 항염 및 주름 개선에 효과적이다. 수십 종의 미네랄 중에서 아연, 구리, 마그네슘, 셀레늄은 미네랄 항산화제로 중요하게 작용한다. 아연^{Zn}은 특수 항산화 효소인 SOD의 구성 성분이다. 비타민류, 또는 미네랄 항산화제는 몸속 활성산소를 제거하는데 중요한 역할을 담당한다. 항노화에 필요한 외부 음식 섭취가 중요하다.

화이토케미컬 _____

노화를 억제하고 질병으로부터 건강한 신체를 유지 하기 위한 바람은 누구나 갖고 있다. 연구에 몰두한 학자들은 베일에 가려있는 식물들의 항산화 기능의 비밀을 발견하기에 이르렀다. 식물들이 자체적으로 생산해내는 항산화물질 화이토케미컬^{Phyto} ^{chemicals}이 그것이다. 외부로부터 활성산소를 가장 많이 발생시키는 것은 단연 햇빛 자외선이다. 햇빛은 모든 생명체에게 가장 중요한 생명의 근원이기도 하지만, 반대로 생명을 단축시키는 강력한 활성산소의 생성 작용도 함께 존재한다. 햇빛을 직접 받으면 피부나 눈은 쉽게 손상되고 심하면 피부암에 걸린다.

그런데 산화를 촉진하는 활성산소를 식물들은 어떻게 방어하여 생존하고 과육을 생산하는가. 인간이나 동물들은 햇빛이 강하면 모자를 쓰거나 피하거나, 아니면 자외선 차단제를 발라 피하지만 식물들은 피할 수 없다. 하지만, 식물들은 인간보다도 더 건강하게 햇빛을 막아내고 생존하고 있다.

이처럼 육상 식물들은 햇빛의 강력한 자외선을 막아내는 강력한 항산화물질을 생산해 보호하고 있는 것이다. 각종 식물에서 일반적으로 보이는 진하고 아름다운 색소가 이것이다. 이러한 색소를 이루는 기제를 화이토케미컬이라고 한다. 지금까지 1000여종이 알려져 있는데, 대표적인 형태는 크게 3가지로 분류된다. 폴리페놀류, 카로티노이드류, 클로로필류이다.

■ 항암효과가 뛰어난 화이토케미컬

'식물이 갖고 있는 화학 물질'이다. 나면서부터 죽을 때까지 한 장소에서 벗어날 수 없는 식물이 자외선, 해충 등으로부터 스스로 지키는 면역 물질이다. '면역혁명'이라는 책을 쓴 일본의 아보 도오루 교수에 따르면, 화이토케미칼은 비타민·미네랄을 포함하고 있을 뿐 아니라, 몸속 백혈구를 활성화시키기 때문에 질병 예방, 치료 효과가 있다. 야채, 과일, 해조류에 들어 있는 색소와 매운 맛, 독특한 향을 내는 성분은 백혈구에 중요한 작용을 하며 몸 안에서 항산화작용을 한다. 향신료의 색소, 매운 맛, 쓴 맛, 냄새도 화이토케미칼이다.

이 성분의 면역 증강 효과는 길어도 24시간 이내라서 매일 먹고, 장기간 섭취해야 효과를 볼 수 있다.

폴리페놀류는 플라보노이드와 탄난계로 구분된다.

플라보노이드는 베리류의 안토시아닌, 대두의 이소플라본, 포도의 레스베라트롤, 사과 양파의 케르세틴, 녹차의 카테킨, 강황의 커큐민, 커피의 클로로겐산 등이다. 탄닌계 폴리페놀류도 다양하다.

카로티노이드류는 당근의 베타카로틴, 토마토의 라이코펜, 연어의 아스타크산틴, 시금치의 루테인등이. 클로로필은 엽록소라고도 하며 녹색 식물의 잎속에 있는 화합물이다. 엽록소는 그 빛깔이 녹색이기 때문에 식물의 잎도 녹색으로 보인다. 이러한 화이토케미컬 중에서 가장 연구가 많이 되고 효능이 다양하게 입증되고 있는 것이 바로 폴리페놀^{polyphenol}이다.

폴리페놀은 지구상에 5,000여종이 존재한다. 효능도 다양하다. 대표적인 폴리페놀의 효능은 발암억제, 동맥경화예방, 혈압상승억제, 혈전예방, 항바이러스, 항비만, 항당뇨, 항균, 해독작용, 소염작용, 충치 예방 등이 보고되었다. 그러면 폴리페놀은 어떤 작용으로 항산화 효소로 기능하는가?

폴리페놀은 페놀 분자가 2개 이상 결합된 물질이다. 페놀은 6각형의 벤젠고리에 수소^H 대신 수산기 OH가 한 개가 결합된 물질이다. 페놀은 자체적으로는 독성물질이지만 수산기 OH가 2개 이상 결합하면서 폴리페놀을 형성한다. 바로 이 수산기가 항산화 작용을 한다고 알려져 있다.

폴리페놀은 더 많은 링을 만들수록 활성산소 흡수력이 더 강력하다고 알려져 있다. 따라서 구조식에서 벤젠고리가 많고 수산기가 보다 많이 연결되어 있는 구조식을 가진 폴리페놀일수록

페놀(phenol)　　　**폴리페놀(polyphenol)**

활성산소 제거 능력이 강하다. 포도의 레스베라트롤은 3개의 링구조와 3개의 수산기OH를 가지고 있다. 사과 양파의 케르세틴도 3개의 링구조에 5개의 수산기OH를 가지고 있다. 녹차의 카테킨은 4개의 링구조를 가지고 8개의 수산기OH를 가지고 있다. 강황은 2개의 링구조에 2개의 수산기OH를, 블루베리는 3개의 링구조에 4개의 수산기OH가 결합되어 있다. 이들 보다도 훨씬 다양한 폴리페놀 구조를 형성하고 있는 물질이 바로 해양 폴리페놀(씨놀)이다.

해양 폴리페놀(씨놀)의 화학구조

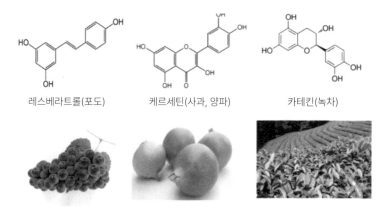

육상 식물의 폴리페놀 화학구조

레스베라트롤(포도)　　　케르세틴(사과, 양파)　　　카테킨(녹차)

강력한 항산화 천연 물질

강력한 항산화 천연 물질 —————————————

오하이오 주립대 이메리터스 의과대학 게리 스토노 박사는 "씨놀은 자외선 유발 피부암을 방지하는, 내가 보아왔고 경험했던 최고의 활동성 물질"이라고 치켜세웠다. 내츄럴 심장학의 미국 최고의 권위자 시나트라 박사도 "그 어떤 항산화제도 이처럼 심혈관계에 효과가 있는 것을 본 적이 없다. 씨놀을 내가 이제까지 접해왔던 그 어떤 항산화제보다 훨씬 강력한 토탈 바디 항산화제"라고 말했다.

미국FDA가 인정하는 실험 기관 브런스위크^{Brunswick LAB}의 공식 데이터에 따르면 씨놀은 이제까지 나왔던 항산화제 중 가장 뛰어난 항산화제로 평가받고 있다. 씨놀의 높은 항산화력은 육상 식품의 폴리페놀류보다 10~100배의 활성산소 제거능력을 갖고 있다. 근거는 앞에서 설명한 바 있다.

그러면, 씨놀의 어떤 작용이 활성산소 제거능력을 갖게 되는가. 폴리페놀계의 항산화제는 벤젠고리에 수산기OH가 많이 붙어 있다. 이 수산기가 전자(프리라디컬)와 반응하면서 프리라디컬을 화학적으로 중화하여 물로 처리하기 때문에 수산기OH가 많이 붙어 있는 구조일수록 강력한 항산화력을 갖게 된다.

따라서 씨놀의 길고 복잡한 화학적 구조는 육상의 여러 식물들에 함유된 그 어떤 폴리페놀보다도 강력한 항산화력을 갖게 한다.

씨놀은 유일하게 제주도 남단에서 서식하는 감태에서만 생산된다. 환경은 자외선의 난반사가 어느 곳보다도 심하다. 자외선으로 발생하는 활성산소가 수천 배 증폭되는, 생물 생존이 쉽지 않은 자연환경이다. 감태가 자라나는 지리적 환경 또한 생명체에 이로운 무수히 많은 광물질을 함유하고 있다. 남해바다 바닷속은 화산 폭발로 인한 다양한 광물질을 함유하고 있다.

동양의학에서는 식물이 자라나는 환경을 보고 그 식물의 특성을 평가한다. 즉 자라나는 환경이 뜨거운 환경이면 그 성질은 차다고 할 수 있고 차가운 환경에서 자라는 식물은 상대적으로 뜨거운 성질을 갖는다. 지상에서 나오는 5,000 여 종의 폴리페놀

(안토시아닌, 카테킨, 커큐민 등)은 모두 지상에서 뜨거운 햇빛을 받고 자란다. 그렇게 뜨거운 햇빛 환경에서 자라나는 열매나 잎은 대부분 그 성질이 차다고 볼 수 있다. 실제로 미국에서 들여오는 열대 과일로 아사이베리, 블루베리, 녹차, 노니쥬스, 망고스틴 등인데, 대부분 그 성질이 차다. 그런데 한국 사람 60대 전후 70~80%는 대부분이 몸이 차다. 나이들면서 혈액순환이 안되어 몸이 차거워졌기 때문이다. 서양에서 들어온 과일로 만든 항산화제는 처음에는 좀 도움받을 수 있지만 장복하면 효과를 보지 못하거나 오히려 몸을 차게 만드는 부작용이 있다.

감태는 가을에 포자를 하여 겨울에 자라고 봄에 수확한다. 감태가 자라나는 환경을 보면 차가운 바닷물속에서 자라며, 그것도 겨울철에 주로 성장한다. 감태는 오행을 모두 갖춘 식물로 평가한다.

따라서 씨놀은 바다에서 나오는 유일한 따뜻한 항산화제이다. 씨놀을 섭취해보고 여러 사람들에 적용해본 결과 몸이 따뜻해지고 혈액순환이 잘되는 것을 볼 수 있었다. 즉 모세혈관 확장을 도와주며 말초까지 혈액을 잘 공급해주는 성질이 있다. 아울러 따뜻하면서도 강한 기를 가지고 있어서 혈관이 좁아졌거나 거의 막혀 초래되는 질병은 상당한 효과를 볼 수 있다는게 필자의 판단이다.

| 감태 | 100배 | 와인 | 토마토, 파스리 | 녹차 |

씨놀 SEA + POLYPHNOL   레스베라트롤   리코펜   칸테킨

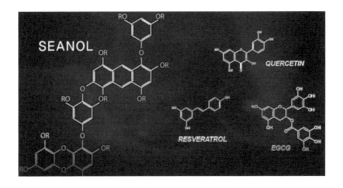

다기능성 초강력 항산화 물질

다기능성 초강력 항산화 물질 ────────

씨놀의 우선적 특성은 다기능성 초강력 항산화 능력에 있다. 식품영양학 분야에서 일반적으로 항산화력을 평가할 때는 ORAC(Oxygen Radical Absorbance Capacity)라는 값을 사용한다. ORAC는 어떤 물질이 객관적으로 활성산소를 얼마나 제거할 수 있는가를 알 수 있는 객관적인 데이터이다. 아래 도표는 여러 연구기관에서 건강에 좋은 수퍼푸드의 항산화력을 테스트한 데이터를 발표했다. 결과는 아래와 같다.

미국 FDA가 공식 인정한 결과에 따르면 씨놀의 항산화력은 당근보다 무려 168배나 높다. 다른 식물보다도 수십배나 많은 항

산화력을 보유하고 있다. 감태는 와인보다 무려 100배나 많은 항
산화력을 보유하고 있다.

당근 ---------------- 50 umo1TE/g

야생 불루베리 ----- 260 umo1 TE/g

아사이베리 ------- 610 umo1TE/g

씨놀 ------------ 8,368 umo1TE/g (미국 FDA 공식인정)

따뜻한 항산화제 씨놀

따뜻한 항산화제 씨놀 ——————————————

현재 씨놀은 유일하게 제주해역 남단에 주로 서식하는 감태에서 추출되고 있다. 한반도 남해 바다에서는 자외선의 난반사가 어느 곳보다도 심하다. 자외선에서 나오는 활성산소를 수천 배 증폭시켜 바닷속 30~40m 에서 서식하는 감태에 조사되는, 열악한 해양생태 환경이라는 말이다. 그리고 조류 변화가 심하고, 남태평양에서 불어닥치는 태풍에 의한 물살도 견뎌야 한다. 이런 열악한 환경에서 감태는 1억7000만년을 진화해왔다. 생명력이 끈질기고 강인하다고 할 수 있다. 서양에서 들여온 항산화제는 초기에 좀 도움받을 수 있지만 장복하면 효과를 보지 못하거나 오히려 몸을 냉하게 만드는 경향을 나타낸다는 것을 앞에서 설명했다. 항산화제 원료가 가지는 '음적 성질' 때문이라는 게 의학계 분석이다.

신토불이란 말은 그냥 나온 말이 아니다. 건강의 기본은 자기 땅의 음식을 먹는 것이다. 사람의 신체는 살고 있는 자연 환경에 적응하도록 맞춰져 있기 때문이다. 자라난 땅에 맞춰진 몸 상태에 다른 환경의 음식물이 몸속에 들어가면, 몸속 작용은 훨씬 더디다는 사실이다. 감태는 파도에 끝없이 몸을 움직여야하니 한의학적으로 보면 음중양陰中陽의 특성을 갖는다고 할 수 있다.

부작용 없는 천연 건강 식품

부작용 없는 천연 건강식품 ──────────

　　몸속 만성 염증은 만병의 근원이다. 이제까지 나온 염증치료제는 많은 사람들의 고통을 줄이고 생명을 구했다. 하지만, 현재 사용되고 있는 소염진통제는 장복시 부작용도 많이 보고되고 있다. 오남용을 자제해야 한다. 정작 만성염증의 원인이 규명되지 않은 상태에서, 부작용이 있다는 것을 알면서도 소염진통제, 스테로이드제품을 복용하거나 바르지 않을 수 없다. 이에 씨놀 연구팀은 씨놀을 연구하면서, '부작용 없는 강한 천연 항염증제'라는 사실을 발견했다.

　　씨놀은 무독성의 강력한 항산화제이다. 몸속에서 발생되는

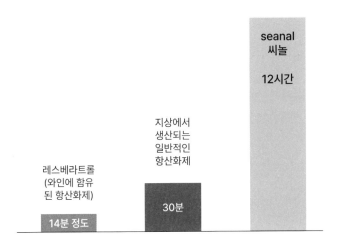

폴리페놀과 씨놀이 몸속에 머물러 제독하는 시간 비교
(항산화제 반감기)

seanal
씨놀

12시간

지상에서
생산되는
일반적인
항산화제

레스베라트롤
(와인에 함유
된 항산화제)

30분

14분 정도

독소는 염증의 원인이 되고 활성산소가 염증을 일으켜 괴사시킨다. 활성산소 자체가 염증을 유발하기도 한다. 이 두 작용은 우리 몸 속에서 악순환의 고리를 만들어낸다. 그러기 때문에 현대인들에게 만성염증은 24시간 발생되고 스트레스와 면역기능을 저하시킨다.

씨놀의 강력한 항산화력은 바로 이것이다. 씨놀이 활성산소를 억제하고, 활성산소가 억제되면 염증이 줄어들고 염증이 줄어들면 조직 괴사가 속도가 줄어들어 마침내 회복의 길을 열어준다 염증에 관해서는 다음 장에서 보다 상세히 설명하고 씨놀이 어떻게 작용하는지 설명할 것이다.

4장

만성염증을 막는 천연 성분

만성염증은 만병의 근원

만성염증은 만병의 근원

앞에서 설명한 바와 같이 과다 생성된 활성산소와 함께 만성염증은 각종 질병의 원인이 된다. 시간이 지나면 자연스럽게 없어지는 급성염증과는 다르다. 끊임없이 생기는 미세한 염증을 만성염증이라고 한다. 만성염증은 뚜렷한 증상이 없어 방치하기 쉽다. 하지만, 지속되면 암, 치매 등 중증질환으로 악화된다. 만성염증은 혈관을 타고 곳곳을 돌아다니며 신체를 손상시키며, 세포 노화와 세포 변형의 원인이 된다. 아울러 면역 반응을 지나치게 활성화해 면역계를 교란하기도 한다. 비만·당뇨병 등 대사질환부터 습진·건선 같은 피부 질환, 류마티스 관절염·천식 등 자가

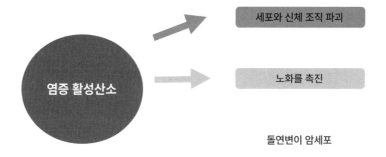

염증 활성산소

세포와 신체 조직 파괴

노화를 촉진

돌연변이 암세포

면역 질환까지 유발할 수 있다.

서울대병원 건강증진센터 연구에 따르면 만성염증 수치가 높은 사람은 낮은 사람보다 암 발생 위험이 남성은 38%, 여성은 29% 비율로 더 많다. 만성염증은 뇌 세포를 파괴해 우울증, 알츠하이머 치매도 발병한다. 알츠하이머 치매 사망자의 뇌 신경세포를 살펴보면 만성염증이 확인된다. 만성염증은 근감소증도 유발한다. 염증 물질이 생성될 때 단백질을 사용하는 바람에 근육에 전달되어야 하는 단백질을 줄이기 때문이다. 실제로 일본 슈쿠토쿠대학 연구진에 따르면 만성염증군의 근육감소증 발병률이 대조군보다 1.5배로 높았다. 이외에 잇몸병, 대장염, 지루성 피부염 등 각종 염증질환을 유발한다.

염증의 원리

염증inflammation은 유해한 자극에 대한 우리 몸속의 생체반응 중 하나이다. 면역세포, 혈관, 염증 매개체들이 관여하는 신체 보호반응의 일종이다. 염증의 목적은 세포의 손상을 초기 단계에서 억제하는 생체 활동이다. 상처 부분의 파괴된 조직과 죽은 세포를 제거하며, 동시에 조직을 재생하는 작용이다. 염증 자체는 질병이 아니며, 오히려 생명체에 필요한 방어 체계이다. 바로 급성염증에 해당한다. 상처가 나면 몸이 일시적으로 반응하는 것이 '급성염증'이다.

이와 달리 '만성염증'은 노화와 함께 나타나는 불필요한 염증이다. 당뇨, 고혈압, 동맥경화, 치매 암 등의 원인이다. 노화가 오면서 생길 수 있는 퇴행성 질환이 모두 만성염증과 관련 있다. 따라서 만성염증은 사람을 빨리 늙게 하고 빨리 죽게 한다. 대부분의 퇴행성 질환들이 만성염증과 관련이 있다. 실제로 노인들은 젊은이들보다 약 2~4배 정도 많이 염증 전달 물질이 증가한다. 염증 물질이 높게 측정된다는 것은 그만큼 신체장애나 질병에 걸리는 비율과 사망률이 높다는 의미다.

노화를 늦추기 위해서는 염증 유발 물질과 염증 억제 물질이 적절히 균형을 이뤄야 한다.

100세 이상의 장수자는 염증 관련 물질이 상대적으로 적고 염증 반응이 적게 일어나는 유전자를 갖고 있다. 일본 게이오대에 설치된 '100세 종합연구소'의 실험은 주목할 만하다. 도쿄 주변 치바켄에 거주하는 102세의 장수 노인의 만성염증 수치(CRP)가 일본 평균치보다 크게 낮았다고 한다. 건강한 노화의 비결은 염증의 균형 잡힌 상태를 유지하는 것이다. 착한 염증과 나쁜 염증의 균형이다. 곧 이는 면역의 항상성 유지와 직결된다 할 것이다.

착한 염증과 나쁜 염증

착한 염증과 나쁜 염증 ─────────

칼에 베이거나 못에 찔리는 등 우리 몸에 손상이 생기면 곧바로 빨갛게 부풀어 오르고 열이 난다. 외부 침입 물질로부터 우리 몸을 지키려는 급성염증 반응이다. 손상이 가해지는 즉시, 히스타민 같은 화학물질이 분비되면서 백혈구를 출동시켜 침입자와 싸운다. 여기까지가 우리가 흔히 알고 있는 급성염증이자 착한 염증이다. 우리 몸이 세균, 바이러스, 외상 골절, 알레르겐 등으로 손상을 입었을 때, 이런 외부 요인과 싸워서 우리 몸을 지켜낸다. 날카로운 못에 찔렸을 때 맺히는 피고름, 사춘기 청소년의 얼굴에 돋는 여드름도 착한 염증에 속한다.

반면, 나쁜 염증, 즉 만성염증은 해로운 유전자를 깨운다. 우리 몸속에는 나도 모르는 사이에 조용히, 그리고 끊임없이 생기는 미세 염증이 있다. 몸속 장기세포나 혈관세포가 손상되거나 죽었을 때 이 세포를 외부 침입자로 착각하고, 이를 없애려는 비정상적인 작은 염증반응이 나타난다. 이런 반응은 정상 세포까지 손상시키고, 노화 유전자와 암 유전자 등 해로운 유전자를 깨운다.

　　열이나 발진 등이 나타나는 급성염증과 달리 만성염증은 자신도 모르는 사이에 점차적으로 우리 몸을 손상시킨다. 이는 혈관과 손, 발 등 말초조직은 물론 몸속 어디에나 생겨 세포의 노화와 변형을 일으킨다.

　　나쁜 염증은 모든 노인성 질환의 시작이다. 우리 몸에서 나쁜 염증이 가장 먼저 나타나는 곳은 혈관이다. 혈관 안쪽 벽에 나쁜 염증이 생기면 혈관 벽이 두꺼워지고, 단단해지면서 혈액 속 지방이나 이물질을 흡착시켜 불거지면서 동맥경화를 불러 일으킨다. 콜레스테롤이 혈관벽에 쌓이는 1차 원인이 나쁜 염증이다. 좁아진 혈관 때문에 영양분과 산소를 잘 전달받지 못하면 팔과 다리는 물론 심장, 뇌 등 몸속 세포가 죽거나 손상된다.

　　나쁜 염증으로 혈액 흐름이 더뎌지면서 신체대사도 덩달아 느려져 당뇨병과 대사증후군 등으로 이어진다. 근육에 생긴 염증은 섬유근염과 만성피로 증후군 등이다. 뇌에 생긴 염증은 치매

생활습관병
비만 당뇨병

자기면역 증상
류머티스·건선

동맥경화
뇌졸중·심장질환

만성염증
허혈·폐염

정신질환
발한·전이

뇌신경계
알츠하이머병
파킨슨병

우울·수면장애
정신질환

와 알츠하이머를 유발한다. 심장에 생긴 염증은 심장병, 관절에 생긴 염증은 관절염을 유발한다. 모든 노인성 질환은 나쁜 염증에서 시작된다고 해도 과언이 아니다.

만성염증을 없애는 방법

만성염증을 없애는 방법 ─────────────

염증은 말 그대로 불이 나는 것과 같은 반응이다. 기름이 있으면 불이 확 타오르는 것처럼, 몸속에 지방이 많으면 나쁜 염증이 급격하게 늘어난다. 나이 들면서 자연스럽게 체중이 줄어드는 사람은 지방이 아니라 근육이 빠지는 경우가 많다. 이럴 때는 수분 섭취를 충분히 해야 한다.

해독의 기본은 항상 몸속을 촉촉하게 적셔주는 것이다. 물은 세포안의 노폐물이나 독소를 소변이나 대변, 땀과 함께 밖으로 내보낸다. 그래서 몸속의 수분이 부족하면 노폐물이나 여분의 수분이 쌓여 혈액이 탁해진다. 그래서 항상 수분을 유지해 노폐물의 흐름을 원활하게 하는 것이 중요하다. 아울러 유산소 운동을 해야 한다. 몸의 밸런스를 위한 스트레칭과 자신의 체력에 맞는 저강도의 유산소 운동을 하루 20-30분 이상 꾸준히 하면 혈액순환과 신진대사를 향상시켜 체내 독소를 줄이는 효과가 있다.

이어 장을 건강한 상태로 유지하는데 유의해야 한다. 흐르는 물이 고이면 썩듯이 몸속에서도 배출 작용이 원활하지 못하면 병이 생긴다. 섭취-소화-배설의 과정 중 어느 한 부분이라도 기능을 상실하면 병으로 이어진다. 정상적인 사람의 경우 음식물이 몸속 장기를 통과하면서 걸리는 시간은 16시간 ~ 24시간이다. 장 기능 장애를 가진 사람은 200시간까지 소요된다. 평상시에 식물 섬유를 충분히 섭취함으로써 장내를 깨끗하게 유지하는 것이 중요하다.

씨놀 항염증 치료의 기초

씨놀, 항염증 치료의 기초 ─────────────

염증을 가라앉히고 저항하는 능력이 항염^{抗炎,anti-inflammation}이다. 급성염증은 생체조직의 유해한 자극원(병원균, 손상 세포 등)에 대한 생체반응이다. 면역세포, 혈관, 분자생물학적인 중간체들이 관여하는 인체 보호반응이다.

앞에서 만성염증의 원인 가운데 하나로서 유해 활성산소를 꼽았다. 우리 몸은 산소를 소비하여 세포내의 미토콘드리아에서 24시간 활성산소가 발생된다. 문제는 활성산소를 제거하는 항산화 물질이 몸속에서 적게 머문다는 사실이다. 만약 항산화제가 체내에 머무르는 시간이 30분 정도에 불과하다면, 나머지 시간은 활성산소의 노출에 무방비 상태가 된다. 젊고 건강한 사람은 상관없지만, 노인이나 중병환자의 경우 항산화력이 유지되지 않으면 질병의 악화를 막기 어렵다. 일반적으로 수용성 폴리페놀 성분인 포도의 레스베라트롤은 약 14분 정도이다. 일반적인 육상 약용식물의 폴리페놀류는 몸속 생존이 평균 30분여 지속되지 못한다.

하지만 씨놀은 체의 혈액에 머무는 시간이 12시간 정도이다. 다른 물질의 항산화력에 비하여 월등히 오래 머무는 능력을 보여준다. 따라서 만성적인 질환자 특히 중추신경계 질환자들에게는 아주 중요한 치료기전의 바탕이 될 수 있다.

피부로 들어가는 독, 즉 경피독은 구강 섭취 보다 독성의 위험이 훨씬 크다. 입으로 들어오는 독소는 침의 소독기능과 함께 소화기관의 점막이나 간, 림프 시스템에서 독을 어느 정도 제독한다. 하지만, 피부로 한번 몸에 침투한 독소들은 주로 지용성 물질이다. 이들은 혈관을 따라 지방질이 축적되어 있는 기관과 조직에 축적된다. 그리고선 몸 밖으로 잘 배출되지도 않는다.

그 축적된 독소의 양이 늘어나면서 만성염증을 일으킨다. 여성은 주로 자궁과, 난소, 유방, 뇌 등에서 발생한다. 남자의 경우는 전립선과 뇌 등에 주로 많다.

독소를 제독하기 위해서는 강력한 항산화력과 항염증 작용이 있는 지용성 물질을 투입시켜야 한다. 이를 통해 활성산소와 염증을 억제시켜야 한다.

　　그러면에서 씨놀은 지용성 성분으로, 활성산소 억제력과 항염증 작용에서 그 어떤 물질보다도 강력하다. 특히, 부작용이 전혀 없는 천연 물질이다. 씨놀은 특히 몸속에서 12시간 머무는 동안 독소가 일으키는 화학작용과 염증을 억제하여 경피독 독소를 제거한다. 당연히 세포의 돌연변이와 괴사를 막을 수 있다. 이는 질병의 예방과 치유에 있어 매우 중요한 성질이다. 만성적인 질병에 시달리는 모든 사람들은 피부에 바르는 제품 특히 샴푸, 치약, 화장품류 사용을 신중히 해야 한다. 씨놀 성분은 수 십년 동안 몸 안에 축적되어온 독소를 제독하는데 아주 유용한 수단이다.

염증에 작용하는 씨놀의 특성

염증에 작용하는 씨놀의 특성 _____

항염증 기능으로 작용하는 씨놀의 특성은 크게 두 가지로 구분된다.

첫째, 독소로 인하여 발생되는 염증을 부작용없이 완화시켜 해소한다. 씨놀의 대표적인 특성은 염증을 잡아주는 역할이다. 몸속 독소가 많은 사람은 대체로 차갑고 체온이 저하되는 경우가 있다. 여성이나 남성이나 아랫배가 두툼하게 올라오는 것은 지방이 쌓이기 때문이다. 지방 속에 독소가 쌓이고 독소는 염증 유발 물질을 만들어 낸다.

둘째, 혈관의 확장과 몸을 따뜻하게 한다. 이는 전신에 피를 잘 돌게 하여 신진대사를 촉진시킨다. 지방을 줄이고 염증을 억제하면 여성 질환의 발생 빈도는 줄어든다. 체온은 우리 몸의 효소작용과 면역작용에 가장 중요한 지표이다. 체온이 1℃ 내려가면 신진대사는 12%, 면역력은 30%나 떨어진다는 연구 보고가 있을 정도로 몸이 냉하면 갖가지 질병에 노출된다.

체온을 올리는 데는 몸속 독소를 배출하는 것과 말초 모세혈관의 순환력을 높이는 처방이 일반적이다.

에너지를 일시적으로 밖에서 주입하는 형태로는 한계가 있다. 내부 에너지 대사, 즉 세포내 미토콘드리아의 건강과 혈관 건강이 선행적으로 개선되어야 근본적으로 저체온증을 개선할 수 있다. 체온이 올라간다는 것은 우리 몸의 면역력을 정상화시킨다는 것이다.

씨놀은 활성산소를 해소하고 염증을 줄이면서, 자신이 가지고 있는 따뜻한 성질로 말단 모세혈관을 크게 확장하여 저체온증을 근본적으로 개선할 수 있다. 여성들의 수족 냉증을 근본적으로 개선하는데 큰 도움이 될 수 있다.

염증의 발생과 독소

염증의 발생과 독소

거듭 설명하면 몸속 질환에 가장 큰 적은 염증이다. 염증 발생의 메커니즘을 알면 개선하고 완치할 수 있다. 염증 반응은 면역계를 동원하여 신체를 방어하고 회복하는 작용이다. 바이러스나 세균, 내외부 독소를 면역세포가 적군으로 인식하여 공격하면서 발생하는 것이 염증이다. 염증은 활성산소를 수반한다. 염증과 활성산소는 세포의 노화와 괴사, 돌연변이를 일으켜 세포, 조직, 장기의 손상을 가져오고 몸 속 계통에 문제를 초래한다. 염증이 진행되면 조직이 굳어가는 섬유화나 퇴행성 변화를 일으켜 질병을 발생시킨다. 일반적인 염증의 특징은 붓고, 붉어지고, 열이

나고, 아프다. 통상적으로 염증에 관여하는 세포는 면역세포(백혈구/호중구, 호산구, 호염기구, 림프구, 대식세포), 혈장세포, 비만세포 등이 관여한다.

일반적인 염증의 원인은 아래와 같다.

생물학적 원인 : 세균,바이러스 등의 항원

물리적 원인 : 기계적 자극, 열, 방사선

화학적 원인 : 화학물질(약), 내부독소, 외부독소

면역학적 원인 : 과민반응, 자가면역 반응 등

급성염증은 국소반응(발열, 발적, 종창, 동통, 기능상실)과 전신반응(발열, 피로, 식욕감퇴, 쇠약)으로 나뉘어진다. 만성염증은 급성염증의 후유증이나, 잘못된 생활습관 등으로 발생하고 유입되는 독소에 대한 방어 반응으로 유발된다. 만성염증은 정상적인 세포활동에 압박을 주고 자연치유력을 억제시켜 질병으로 번지게 된다. 몸속 면역세포들은 이름모를 독소들과 끝없이 전쟁중이다. 수많은 바이러스와 세균에 대해 면역세포들은 정보를 가지고 있고 쉽게 제압할 수 있다.

하지만, 근대기에 들어 석유화학물질과 갖가지 산물들에 대해 현대인의 면역세포가 인식하고 대항하는데 필요한 정보가 없다. 이러한 상황으로 현대인들의 몸은 만성적인 염증 상태에 있다고 해도 무리가 아니다. 정상 세포를 노화시키고 변형시켜 괴사시키는 요인이 되고 있다.

만성염증은 만성통증으로 이어지고 만성 통증은 삶에 고통을 가져다 준다. 현대인은 원인을 제거할 생각은 하지않고 소염진통제를 치료제로 착각하고 있다. 소염진통제 가운데 복용하면 즉시 염증을 가라앉히는 스테로이드성 치료제가 있다. 그 효과가 빨라 만성적인 염증을 안고 있는 환자들은 상복하게 된다. 그러나, 스테로이드성 약물은 부작용이 심각하다. 장복시에는 혈당상승, 뼈의 괴사, 녹내장, 고혈압, 쿠싱증후군, 자율신경계 불균형, 근육약화 등을 초래한다.

특히 스테로이드성 약물의 과다복용이 초래하는 쿠싱증후군은 자칫 뇌손상을 초래할 수 있다. 세계보건기구는 매년 4월 8일을 '쿠싱병의 날'로 정해 주의를 촉구하고 있다. '쿠싱병'이라는 병명은 1932년 쿠싱병을 처음 보고한 미국 외과의사 하비 쿠싱Harvey Cushing의 이름에서 따왔다. 4월 8일은 쿠싱의 생일이다.

쿠싱병은 우리 신체의 주요 호르몬 분비를 관장하는 뇌하수체의 전두엽에 종양이 생기는 병이다. 스테로이드성 약물은 스트레스 호르몬인 코르티솔의 과다 분비를 유도해 비만과 당뇨, 고혈압, 저칼륨혈증, 골다공증, 우울증 등을 유발한다. 신장결석, 불임 등도 유발한다. 여성에게서 발병이 남성보다 3배 정도 높게 나온다. 쿠싱병은 질환에 대한 인식이 낮아 진단이나 치료 시기를 놓쳐 고통받는 경우가 많다. 쿠싱병은 각종 내분비계의 합병증을 유발한다. 치료하지 않으면 이로 인한 합병증으로 5년 내 사망률이 50%에 달하는 심각한 질환이다. 하지만, 증상이 일반 비만 환자와 비슷해 진단이 쉽지 않다.

쿠싱병에 걸리면 얼굴 모양이 달덩이처럼 둥글게 변하고 체중이 증가하며 복부비만이 발생한다. 목 뒤에 들소 목덜미 같이 지방 덩어리가 차오르는 버팔로 험프Buffalo's hump 증세가 나타나기도 한다. 또 고혈압, 당뇨, 골다공증, 저칼륨 혈증이 특징 증상으로 나타나고 월경 불순, 여드름 등의 증상을 보인다. 어린이의 경우 체중이 급증하고 정상에 비해 비만인 경향이 있다.

쿠싱병은 뇌하수체 전두엽에 생긴 종양이 원인이기 때문에 종양을 제거하는 것이 첫 번째 치료다.

수술이 불가능하거나 완전 제거가 힘든 경우 약물치료나 방사선 치료로 종양 확산을 저지한다. 쿠싱병의 증상은 비만과 비슷하다. 비만 환자 중 얼굴 모양이 변하거나, 고혈압이나 고지혈증, 당뇨병 등이 모두 발생한 경우 쿠싱병을 의심할 수 있다. 미국 의학계는 해양 폴리페놀인 씨놀에 주목하는 이유가 바로 이것이다. 앞에서 설명한대로 스테로이드성 약물 과다복용으로 생기는 염증을 잡아주는 씨놀의 약리작용이 효과적이기 때문이다.

5장

암 예방에 탁월한 씨놀의 효능

암이 발생하는 메커니즘

암이 발생하는 메커니즘 ─────────────

한국인들에게 암은 공포의 질병이다. 암의 한자 표기를 보면 입이 3개가 있는 형상이다. 사람이 먹거리로 인해 암이 발생한다는 것을 말하고 있다. 과거 100년 전만 해도 인류는 식량문제를 해결하지 못했으나 이젠 먹는 건 걱정이 없다. 너무 많이 먹어 병이 생기고 있다. 80년대 이전의 질병에는 전염성 질병, 즉 결핵이나 콜레라, 장티부스, 이질과 같은 세균성 질병이 주류였다. 1980년대 이후에는 암과 심혈관계 질환 등의 생활습관성 질병이 늘고 있다. 암은 매년 증가 추세에 있고 3명 중 1명은 암으로 사망한다는 것이 요즘 추세이다. 산업화와 문명화는 왜 우리에게 암이란 질병의 발병률을 높이는가?

　몸속에 들어간 음식물은 소화과정에서 독소를 발생시킨다. 따라서 몸속 면역세포들은 독소와 24시간 끝없는 전쟁을 일으키고 그 과정에서 염증과 활성산소가 지속적으로 발생한다. 이는 앞에서 설명한 대로이지만 좀 더 구체화 해보도록 한다.

　몸속에서 염증과 활성산소는 건강 세포에 대해 3가지의 길을 가게 한다.

　첫째, 세포를 죽게한다(괴사). 괴사는 장기나 피부를 구성하고 있는 건강 세포의 숫자를 적게 만들어 장기의 기능을 저하시키거나 피부에 주름을 만든다.

　둘째, 자가면역계 질환이다. 면역세포가 갑자기 적군인지 아군인지를 구별하지 못하게 되는 경우다. 류머티스, 아토피, 베체트병 같은 난치성 질병 등이 자가면역계 질환이다.

　셋째, 세포에 필요한 산소 공급능력이 현저히 떨어진다. 세포는 산소를 필요로 하는 호기성 세포에서, 산소 없이도 살 수 있는 혐기성 세포인 암세포로 변이된다.

　암세포는 우리의 몸 속에서 하루에도 수천에서 수만 개 발생하지만 정상적 면역세포의 작동으로 제거된다. 하지만 위의 3가지 요인이 지속적으로 이어지면 신체 면역기능이 정상적으로 작동하지 못하게 된다. 결국 암세포가 퍼지게 되고 어느 정도 성장한 암세포는 급속히 우리 몸을 점령해 버린다.

일단 암이라고 진단받으면 대부분 현대의학은 3가지 치료법을 제시한다.

첫째, 항암제로 치료하는 화학요법

둘째, 방사선R^{adio} 치료법

셋째, 수술요법^{Surgery}

이 가운데 첫째와 둘째 치료법은 몸속 모든 세포를 죽이는 독성이 매우 강한 치료법이다. 부작용 때문에 지금의 항암치료는 사람을 죽이는 수단이 되기도 한다. 만일 초기에 발견하여 수술이 가능한 상태라면, 수술이나 해독 및 면역증강 요법 등으로 치료하는 것이 효과적이다.

하지만, 수술 시기를 놓쳐 항암제와 방사선 치료를 시행할 경우 정상적인 세포의 파괴를 유발해 그 부작용으로 환자의 고통은 가중된다. 수술요법 역시 완치가 쉽지않다. 한 번 퍼진 암세포의 강한 전이성 때문이다.

항암제가 암세포를 죽이는 수단은 활성산소이다. 강력한 활성산소를 일으켜 암세포를 괴멸시키는 것이다. 방사선 치료도 방사선 조사 과정에서 나오는 막대한 활성산소가 암세포의 성장을 정지시킨다. 이러한 이유로 인하여 항암 치료 시에는 항산화제

복용을 금지하고 있다. 세계 최초로 DNA의 이중나선 구조를 밝혀내 노벨의학상을 수상한 제임스 D. 왓슨James D. Watson은 "항산화제는 암 치료에 방해가 된다"고 주장한다. 암 환자가 항산화 비타민제를 복용하면, 항암치료와 방사선치료를 오히려 무력화시킬 수 있기 때문이다.

항암제와 방사선 조사량이 늘어날수록 정상 세포는 파괴되고, 죽지 않고 살아남은 세포는 내성이 강해져 보다 강력한 항암제를 사용하지 않으면 죽지 않는다.

현재까지 위의 3가지 치료법에 외에 현대의학은 새로운 대안을 찾고 있지 못하고 있다.

암, 악성종양이라고도 하는 이 이상 조직은 분명히 DNA의 문제인 것은 확실하다. 각종 세균 감염병들이 세균에 의하여 일어나는 것은 분명하지만, 그 근본 원인은 세균 자체가 아닌 면역력의 문제라는 점이다. 각종 물리·화학적 요인들, 바이러스, 세균, 기생충, 방사선 등 무수한 인자가 발암의 원인이 되는 것으로 연구자들이 지적해왔다. 그러나, 이것은 단지 2차적인 간접 요인이 될 뿐이다.

1차적 원인으로는 수분의 만성 결핍에 따른 일종의 적응 증상임을 인식할 필요가 있다. 여타 생체 내 물질들 뿐 아니라 특히 DNA의 경우는 몸속 수분과 절대적인 연관성을 갖고 있다.

DNA의 구조를 결정하는 것이 수소결합이다. 수분 결핍은 그 구조 유지의 근본인 수소결합에 문제를 일으킨다. 그 결과 어그러진 DNA구조를 복구하려는 항상성 반응이 적응 증상으로 나타난 것이 바로 암인 것이다. 거듭 설명하면, 악성종양을 포함한 암의 근본적인 원인중 하나는 수분의 만성 결핍에 있다.

몸속 수분의 부족은 면역력 저하와 직접적인 관련이 있다. 수분 부족으로 각 염기 사이 '수소결합'으로 이루어진 이중 나선 구조가 왜곡된다. 다만 앞으로 이를 증명할 생화학적인 추적 연구만이 학자적 입장에서 남아있을 뿐이다. 암 발병은 특히 40~50의 연령대 이후 자주 발생한다는 사실을 놓고 볼 때, 이 연령대는 각종 원인에 의하여 만성 탈수 시기와 겹친다. 오늘날 고도로 발달하였다고 하는 의학계마저도 수분의 중요성을 인식하지 못하는 이 시대에 암은 현대 유행병의 하나라고 할 수 있다.

각종 술과 시판 음료 등의 소비는 탈수와 연관되어 있고, 특히 스트레스는 탈수의 주범이다.

게다가 오늘날 염분을 낮춘 식사의 권장은 오히려 사람의 갈증을 느끼지 않게 한다. 이는 체내에서 수분 노출 및 적응 기회를 막고 있다는 사실을 알아야 한다. 항간에 건강에 좋은 소금이 있다하여, 죽염 등 특제 소금이 건강에 효과적이라 해서 홍보하는 예가 있다. 그러나, 정작 소금이 건강에 직접 작용하는 것은 아니다. 염분은 갈증을 유도하여 몸을 수분에 적용시키는 2차적인 효과, 즉 건강(면역)으로 나타난다. 저염분 식사의 권장은 지금까지 수분의 정확한 역할을 모르고 있었음을 반증하는 것이다.

암의 경우는 발병한 이후보다는 발병 전의 예방이 매우 중요하고 평소의 충분한 수분과 염분 섭취는 암을 예방하는 최고의 길이며 최선의 길이다. 그러면 씨놀이 어떤 기전을 통해 암 예방에 유효한지 설명할 것이다.

암 세포의 자살을 유도하는 씨놀

씨놀과 항암제

신장 계통에 특화되어 항암제로 널리 쓰이는 시스플라틴 Cisplatin은 독성이 매우 강하다. 항암효과가 좋아 난소암 같은 악성 암 치료에 널리 사용된다. 독성이 매우 강한 탓에 신장의 정상 세포를 파괴하는 부작용이 심하다. 그렇다고 일반 항산화제를 사용할 수도 없다. 그러나, 씨놀을 함께 사용하면 효과는 훨씬 커진다는 의학계 보고가 있다. 암을 죽이는 활성산소는 3배 이상 증가시키고, 정상 세포를 파괴하는 활성산소는 억제된다. 암세포의 소멸 능력을 3배까지 증가시킨다는 임상 보고가 있다.

시스플라틴을 포함한 항암제 대부분에서 나타나는 공통 현

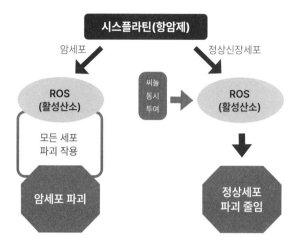

상은 신장 조직의 파괴이다. 시스플라틴을 포함한 항암제 대부분은 신장 조직을 파괴한다. 심각한 부작용이 아닐 수 없다. 항암 치료시 신장 조직이 파괴되면 신체 여과 기능에 이상이 발생한다. 그러면 혈액 내의 크레아티닌^{Creatinine}과 혈액요소질소(BUN, blood urea nitrogen) 수치가 상승한다. 이는 신장 기능이 무너진다는 의미다. 그러나, 씨놀을 병행 투여하면 항암치료 후에도 이들을 정상에 가깝게 유지시킨다. 다시 말해, 씨놀 성분이 항암제의 부작용인 신장 세포의 파괴를 막고 있는 것이다.

항암제의 작용원리로 볼때 성장속도가 빠른 소화기 계통의 세포들도 무차별 파괴된다. 항암치료 후 환자의 삶의 질이 크게 떨어진다. 그러나, 씨놀을 병행 투여하면 소화기능의 표시인 식이량이 정상을 유지한다는 임상 실험이 보고되어 있다. 씨놀로 인해 항암치료 환자의 영양상태 및 예후를 크게 개선 시켜 거의 정상에 가까운 삶의 질을 가질 수 있게 해준다는 연구보고가 존재한다.

다음은 이에 대한 연구보고를 몇 개 들어본다.

항암치료로 파괴되는 신장
기능을 회복시킨다

항암치료로 파괴되는

신장 기능을 회복시킨다 ─────────

미국 오하이오주립대 의대 게리 스토너(Prof. Gary D. Ph. D) 교수가 시행한 실험을 소개한다. 생쥐hairless mouse의 피부를 26주간 반복적으로 자외선UVB에 노출시키는 실험을 했다. 씨놀을 먹이거나 피부에 발라준 경우, 대조군에 비하여 만성염증의 발생과 그로 인한 피부암 발생이 획기적으로 줄어든 사실을 발견했다.

이는 암 관련 학술지 국제암저널International Journal of Cancer 2006년 12월 호에 등재된 내용이다. 이에 따르면, 세포에 대사

이상을 불러오는 만성염증과 암 예방에 씨놀 성분이 뛰어난 효과를 발휘한다는 연구 결과이다. 부산 부경대 연구센터^{Marine Bio-}process Research Center의 2009년도 연구도 이를 입증한다. 감태에 함유된 에클로니아 카바^{Ecklonia Cava}에서 나온 성분, 즉 씨놀은 몸 속 유방암 세포의 자살을 유도한다는 것이다.

특히 방사선 조사량이 높아지면 생쥐 생존율이 떨어지나 (25%), 씨놀을 투여하면서 방사선 조사량을 높이면, 생쥐 생존율이 높아진다(83.6%)는 연구결과가 보고되었다.

종합적으로 씨놀의 암 치료의 효과를 정리해보면 다음과 같다.

암의 씨앗 ,만병의 근원의 실체는?

누구나 가지고 있는 몸속 쓰레기 →| 치료않고 장기간 방치
내부에 쌓이며 문제를 일으킨다
몸속 쓰레기가 발생시키는 질환 →| 만성염증
만성염증이 원인인 질환
동맥경화, 고혈압 등 혈관질환 발생
심혈관질환, 뇌혈관 질환으로 악화
1. 심뇌혈관 2. 치매 3. 암

해양폴리페놀, 씨놀에 의한 만성염증 치료

NF-kB 및 MMP 억제에 대하여

NF-kB 및 MMP 억제에 대하여 ────────

핵인자 카파비(NF-κB, nuclear factor kappa-light-chain-en-hancer of activated B cells)는 DNA를 구성하는 단백질 복합체이다. DNA 전사 및 사이토카인의 생성과 세포의 생존에 관여한다. NF-κB는 거의 모든 동물 세포에서 발견되며 다양한 자극에 대한 세포 반응이다. 예를 들어 스트레스, 사이토카인, 프리라디칼, 중금속, 자외선 노출, 산화된 지방질, 박테리아 및 바이러스 항원 등에 대한 반응에 관여한다. NF-κB는 염증 반응에서도 중요하다. NF-κB의 잘못된 전사 조절은 암, 염증성 질환과 자가면역질환, 패혈증 쇼크, 바이러스 감염, 면역계의 발달이상 등을 초래한다. NF-κB는 또한 시냅스 가소성 및 기억의 형성 과정에도 관여하는 것으로 알려져 있다.

고려대학교 의과대학 채성원 교수의 논문에 따르면 NF-κB는 염증반응 조절, 면역체계 조절, 세포고사, 세포증식, 상피세포의 분화 등에 관여하는 단백질군이다. 다양한 유전자들의 발현을 조절하며 세포내의 신호전달 체계의 중심축을 이루고 있다. NF-κB가 활성화된 종양의 경우 항암제가 잘 반응하지 않는 것으로 알려져 있다. 따라서 NF-κB 활성화를 선택적으로 억제하는 치료제 개발이 중요하다. 이는 암 자체의 성장을 억제하며 전이를 예방하고 방사선과 항암제 치료효과를 높일 수 있는 방식이다.

MMP$^{\text{matrix metalloproteinase}}$도 염증으로 연결하는 효소이다. 콜라겐을 분해하는데 작용한다.

MMP 등 결합조직 분해효소는 만성적으로 작용함으로써 연골, 혈관, 폐, 피부 등의 조직을 노화, 퇴행화하는데 관여한다.

반면, 씨놀 및 에콜계 화합물은 완전히 새로운 메커니즘Mechanism의 항암 치료로 접근한다. 신체 내에서 염증이 유발되는 미세 환경을 억제하는 방식이다. 기존 항암제는 증식속도가 빠른 세포(암세포 및 혈액 , 모근, 소화기, 신장 간세포 등)의 복제를 저지하는 식이다. 그러나, 이는 암세포 파괴와 동시에 혈액, 모근, 소화기계, 신장, 간 등 정상세포의 손상을 수반한다. 염증이 발생하는 미세환경은 만성염증에 의해 면역작용이 왜곡되어 있다. 암세포를 죽여야 하는 면역세포들이 오히려 암세포의 악성화에 동조하는 등 면역작용이 뒤틀려진다. 씨놀은 만성염증의 마스터키로 알려진 NF-kB를 억제하고 만성염증이 번식하는 종양 미세 환경을 개선한다. 이를 토대로 암세포의 자살을 효과적으로 유도하는 작용을 한다.

씨놀 전문가인 신현철 박사의 '씨놀의 식품의약적 응용성' 논문에 따르면 만성질환은 감염성 급성질환과 달리 10 ~ 20년에 걸쳐 미미하지만 지속적으로 누적된다. 그 생리학적 스트레스가 임계점에 도달하면, 증상 발현과 함께 퇴행화되는 특성을 갖는다. 지속적인 스트레스 요인에 의해 $NF\text{-}\kappa B$ 등 효소들이 지속적으로 활성화되어 각종 염증성 인자들이 만성적으로 작동하게 된다. 이러한 염증반응이 또 다른 스트레스로 되먹임 됨으로써 만성질환의 발병을 부채질한다. 따라서 만성질환에 효과적으로 대응하기 위해서는 현재의 증상을 완화시키는데 그치는 것이 아니라, 보다 안전한 방법으로 만성적 스트레스 요인과 만성염증을 동시에 제거하는 방법이 중요하다.

이러한 측면에서 씨놀 및 에콜계 화합물들이 보여주는 안전성과 강력한 항산화 활성, 그리고 항염증 활성은 식품의약 소재로서 무한한 응용 가능성을 보여준다. 씨놀 및 에콜계 화합물이 보여주는 항균 및 항바이러스 작용은 또 다른 차원의 응용 잠재력을 제시해 주고 있다. 씨놀 연구팀은 보다 완전한 항암 치료를 위해 관련 연구를 진행중이다.

우선적으로 씨눌을 포함하여 식품의약적 잠재력을 갖는 성분에 관한 첨단 과학적 지식을 적극 활용하여 예방적 식품의약을 개발해야 한다. 나아가 만성 질환에 대해 기존 의약품이 초래하는 부작용과 치료적 한계를 극복하기 위하여 기존 의약품과의 상보적인 기술개발 및 임상 연구도 뒤따라야 한다.

암은 신체 노화의 연장이다

암은 신체 노화의 연장이다 ─────────────

앞으로 현대인은 훨씬 더 오래 살아야 할 것이다. 생활환경이 윤택해지면서 그만큼 수명도 늘어난다. 그렇다고 더 나은 삶은 아니다. 살아가는 햇수는 늘었지만 삶이라고 말할 수 있는 것, 살만한 삶 자체는 그다지 늘지 않았다. 100세까지 살게 될지를 생각하면 여전히 "그런 일은 없기를"이라고 바란다. 왜 그런가? 나이 80세를 넘기면서 예상되는 삶은 결코 매력적이지 않기 때문이다.

산소 호흡기와 온갖 약물. 엉덩뼈 골절과 기저귀. 화학요법과 방사선요법. 수술 또 수술. 그리고 거액의 의료비.... 심하면 치매를 앓다 자녀들에게 좋지 않은 꼴을 보이면서 천천히 고통스럽게 죽어간다. 그나마 부자들은 10년 넘게 이런저런 질병에 시달리다가 돈은 돈대로 쓰다 삶을 마감한다. 흔히들 이런 삶을 정상이라고 생각한다.

사람의 나이를 스물여섯이나 서른여섯 살로 되돌리는 의학적 시술은 없을까?

'노화의 정보이론'은 우리가 먼 조상으로부터 물려받은 원시적인 생존 회로에서 출발한다. 모든 생물은 동일한 원시 생물에서 진화했으며, 현대인 역시 마찬가지다. 현미경으로 들여다보면 모두 동일한 원료로 이루어져 있다. 모두 동일한 생존 회로, 즉 상황이 안 좋을 때 보호하는 세포 내 연결망을 갖고 있다. 그런데 이 연결망은 부작용도 따른다. '노화의 정보 이론'에 따르면 인체는 노화를 일으키는 후성유전적 문제에 시달린다. 사람마다 늙는 속도는 제각각이다. 그리고 전혀 늙지 않는 것처럼 보이는 사람도 있다. 더 후대로 오면 더 이상 사망을 노년 탓으로 돌리지 않게 된다. 이제 "늙어서" 죽는 사람, 즉 자연사 하는 별로 없다.

세계보건기구WHO의 질병, 증상, 외상 원인의 목록인 '국제질병분류International Classification of Diseases'는 1893년 처음 발간되었을 때 항목이 161가지였다. 지금은 자그만치 1만4000가지가 넘는다.

이 분류법을 써서 장애와 사망의 직접적이면서 근본적인 원인을 기록했다. 대체로 사망확인서에 더 자주 적힐수록 사회는 그 사망원인에 대처하려고 노력한다. 현재 심장병, 2형당뇨병, 치매가 현대 의학연구와 의료분야의 주된 관심사다. 그러나, 노화가 이 모든 질병의 가장 큰 원인임에도 별 관심을 끌지 못한다. 왜 그런가. WHO의 현행 분류법 때문이다.

노화, 즉 늙음은 삶을 끝내는 근본 요인이라고 생각한다. 보통 노화에 대해 삶의 일부이며 불가피한 현상으로 생각한다. 좀 일찍 찾아오거나 좀 늦게 찾아올 수 있지만 노화는 반드시 우리 모두에게 닥친다고 들어왔다. 예전에는 폐렴, 독감, 결핵 등으로 많이 사망했다. 오늘날 결핵이나 위장 관련 질환으로 사망하는 사람은 극히 드물다. 런던유니버시티칼리지의 건강노년연구소 Institute of Healthy Ageing 부소장이자, 왕립협회 '노화의 새로운 과학' 학술대회 보고서를 쓴 데이비드 젬스는 2015년 '메디컬데일리Medical Daily에 "사람이 병 없이 오로지 노화로 죽는다는 생각은 말이 안 된다"라고 했다. 보다 중요한 것은 애초에 우리를 난치병으로 이끌어 고통스런 죽음으로 내몬 것이 무엇인지를 아는 것이 중요하다.

발상의 전환이 필요하다. 건강하고 행복한 삶을 누리려면 노화와 질병을 보는 관점을 완전히 뒤집는 패러다임 전환이 필요하다. 바로 '노화 자체가 질병'이라는 관점이다. 이는 노화를 예방하기 위한 각종 비즈니스를 촉발시킨다는 의학계 주류의 반발이 거세지만, 일부 기득권 의사들의 반발일 뿐이다.

　　암질환을 비롯해 심장병, 치매 같은 것은 질병이 아니다. 더 큰 무엇, 즉 노화의 증상일 따름이다. 노화는 질병일 뿐 아니라 만병의 모태라는 관점이 중요하다. 따라서 노화라는 질병은 치료할 수 있다는 관점이다. 늦추거나, 멈추거나, 심지어 되돌리기까지 할 수 있다는 관점이 중요하다.

고혈압 등 심혈관계와 씨놀 효능

고혈압 등 심혈관계와 씨놀 효능 _____

우리나라 50대 이후 고혈압 환자는 2011년 기준 40대 17.0%, 50대 37.3%, 60대 55.6%, 70대 61.2 %로 연령이 높아질수록 급증한 것으로 나타났다. 나이가 들면서 말단 세포까지 혈액과 영양을 공급하기 어려워진다. 따라서, 심장은 펌핑 압력을 높여 좁아진 혈관을 통해 말초까지 혈액을 보내게 된다. 심장 박동이 빨라지면 혈압은 높아진다. 현재 서양의학계는 무조건 혈압 기준치 120/80을 맞추어 놓고 있다. 이보다 높아지면 무조건 약을 투여하여 강제적으로 혈압을 떨어뜨린다. 높아진 혈관내의 압력을 강제로 떨어뜨리면 심장의 펌핑 압력에 의해 산소와 영양소를 공급받아야 하는 말초 세포들에게는 치명적이다. 말초 세포들은 혈액공급 부족으로 인한 치명적인 산소결핍과 영양불량 상태에 빠지게 된다. 그렇다고 혈압이 높은 상태로 그대로 오랜 시간 방치하면 뇌동맥류나 신부전증 등의 생명이 위험한 상태에 놓이게 된다. 고혈압은 뇌출혈로 인한 중풍 발생율을 높이기도 하기 때문에 무작정 혈압약 복용을 안할 수도 없는 노릇이다. 평소 술도 잘 드시고 별일이 없었던 필자 부친도 회식중에 쓰러져 긴급 실려 갔으나 이미 늦은 상태로 돌아가시고 말았다.

통계에 의하면 전체 돌연사의 50% 정도가 평소에 혈압도 없고 동맥경화가 없는 사람들이라는데 있다. 언뜻 납득하기 어렵다. 돌연사의 경우, 평소 혈압이 정상이지만 갑작스럽게 스트레스를 받으면, 혈압이 갑자기 상승하게 되는데 이때 뇌 혈관 내피의 탄력성이 떨어져 순간적인 압력을 견디지 못하고 터지는 경우이다.

따라서 신축성 있는 혈관 내피의 탄력성이 혈압의 높고 낮음보다 더 중요하다고 할수 있다. 혈관의 내피 탄력성이 떨어지는 것은 활성산소와 염증으로 인하여 내피조직이 굳어진 경우이다. 이는 평소 활성산소와 염증을 꾸준히 관리한다면 내피의 탄력성이 높아져, 혈압이 급격히 상승해도 터지는 경우가 드물다.

따라서 혈압이 높아진다는 것은 모세혈관이 막혀 동맥경화가 심해지고 있다는 것이다. 무조건 혈압약에 의지한다고 하는 것은 다른 질병을 야기시킬 가능성이 매우 높다. 고혈압 상태의 경우 혈압약으로 일단 현상을 유지하면서, 근본적으로는 혈관의 탄력성을 개선하고 말초모세 혈관을 확장시키는 근원적인 치료를 병행해야 한다. 혈압 상승에 관여하는 ACE ^{Angiotensin convert-ing enzyme} 효소*를 인위적으로 억제하는 과정에서 원하지 않는 부작용이 수반된다. 그러나, 씨놀은 천연 성분이다. 씨놀은 부작용 없이 ACE를 억제하여 혈압상승 요인을 제거하고 효과적으로 혈관을 팽창시켜 혈압이 떨어지도록 작용한다.

---

* ACE, 즉 안지오텐신변환효소는 혈압을 조절하는 효소이다. 안지오텐신(불활성단백질)이 안지오텐신 II로 전환시키는 것을 도와준다. 안지오텐신II는 강한 혈관 수축제로 기능한다. 안지오텐신II는 혈관을 일시적으로 좁게 만들어 혈액 흐름의 압력을 증가 시킨다. ACE는 몸에서 만들어지지만 특히 폐에 농축되어 있다.

6장

항노화 작용의 비밀

노화는 세포 건조가 주원인

노화는 세포 건조가 주원인 ——————————

우리 몸 가운데 가장 먼저 노화가 시작되는 부위는 피부 부위다. 외부 충격, 자극에 가장 먼저 반응하는 부위이다. 나이듦에 따라 그럴 수도 있지만, 탄력이 떨어지고 주름이 늘어나는 가장 큰 이유는 햇빛에서 오는 강한 자외선과 내부의 항산화력의 부족 때문이다. 이로 인해 세포 DNA의 손상과 단백질의 손상, 염증을 촉발하는 효소를 분비시킨다. 이는 피부 기질에 문제를 야기시켜 피부 탄력을 떨어뜨린다. 피부 탄력을 유지하는 효소로는 엘라스타제와 히알루론산hyaluronic acid 등이 있다. 이들은 동물 등 피부에 많이 존재하는 생체 천연 합성물질이다.

∴ 인체의 세포수 : 60조~100조 개, 세포가 허약해지고 손상됨
　　　손상된 세포는 세포내액(수분)이 빠져나감
∴ 씨놀 : 허약하고 손상된 세포에 씨놀 투여
　　SNP 효과 : 세포 보호막 형성, 건강 세포로 되돌림

세포막　　삼투압으로 수분이 밖으로 빠져나감

세포내액

손상된 세포

SNP효과
세포내액 유출 방지 방어막 형성

세포막

SNP

SNP

세포내액

복구된 건강한 세포

　　생체의 기본은 세포이다. 3,000여만 종에 이르는 모든 동식물의 생명은 한 개의 세포에서 시작된다.

　　인체도 하나의 세포에서 시작된다. 우리 몸이 늙고 병들고 피곤한 것은 세포가 늙고 병들고 피곤하기 때문이다. 이를 바꿔 말하면, 세포를 살리면 노화 시계를 늦출 수 있다는 말이다. 세포가 늙고 힘없는 것은 여러가지 요인이 있을 수 있다. 노화는 우선적으로 세포의 탈수가 주원인이다. 그렇다면 세포에 수분을 채울 수만 있다면 늙고 병들고 피곤한 것을 예방할 수 있다.

　　최근 의학계가 주목하는 성분이 씨놀이다. 씨놀 효능은 근본적으로 피부 세포의 활성화하는 것에서 시작된다. 앞에서 설명했듯이, 씨놀은 항산화력 저하에 따른 피부의 만성염증을 줄이는

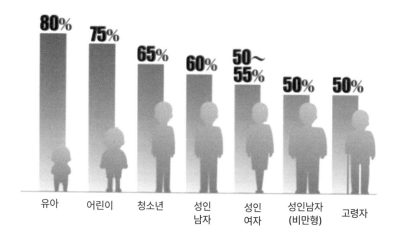

나이듦에 따라 줄어드는 수분의 함량

80% 유아
75% 어린이
65% 청소년
60% 성인 남자
50~55% 성인 여자
50% 성인남자 (비만형)
50% 고령자

특성을 모두 가지고 있다. 씨놀이 세포에 우선적으로 작용하는 것은 수분을 채우는 일이다. 한 개의 세포가 생명의 시작이며 한 개의 세포가 병들면 생명은 끝이 난다. 노인 질병 전문의들은 이미 노화는 자연현상이 아니고 질병이라고 규정하고 있다. 노화는 치료가 가능하다는 의미를 내포하는 말이다.

무엇보다도 피부 온도가 정상체온보다 높으면 피부 노화가 시작된다. 햇볕을 피부에 그대로 노출하면 자외선이 피부 노화를 촉진한다고 알려져 있다. 하지만, 열 자체만으로도 피부 노화를 유발한다. 피부 온도는 정상체온보다 5~6도 낮은 31도가 정상이다. 여름철 뜨거운 직사광선을 받으면 피부는 40도 이상으로 올라간다. 그러면 피부 속 콜라겐을 분해하고 합성하는 MMP 효소가 증가한다. 이 효소가 과도하게 만들어지면 주름이 늘어나고 피부 탄력이 떨어진다. 모세혈관과 모공이 확대되기도 한다.

씨놀의 분자들인 eckol, phlorotannin A, triphlorethol, dieckol, phlorofucofuroeckol A들이 피부의 탄력을 부여하는 단백질인 엘라스틴을 돕는다. 피부 미백 및 기미 발생 방지효과도 뛰어나다. 종합하면, 씨놀은 피부 노화요인으로부터 주름발생 및 피부 탄력을 지켜줄 수 있는 잠재력이 뛰어나다.

플로로탄닌은 페놀성 화합물, 즉 트라이하이드록시벤젠의 유도체다. 생물활성에 필요한 항산화, 항균, 항암, 항심혈관질병, 항당뇨병종합증, 간장보호, 투명질라이신 억제 등 광범위한 효능을 갖고 있다. 이 물질이 어떤 메커니즘으로 활성이 나타나는지에 대한 연구는 아직 진행중이다. 전체적으로 씨놀은 피부 탄력 저하나 주름을 막아주는 특성을 모두 가지고 있다. 피부의 노화방지에 매우 탁월한 기능을 가지고 있다는 보고가 여럿 나온다.

앞에서 설명했던 미국 오하이오 주립대 의대 게리 스토너 Ga D Stoner 교수의 실험을 예로 들어본다. 스토너 교수는 생쥐 실험을 통해 씨놀 효능을 입증했다. 생쥐를 26주간 반복적으로 자외선에 노출시키는 실험을 실시했다. 생쥐에게 씨놀을 먹이니 염증성 단백질인 COX-2 및 iNOS의 억제와 피부암 발생이 현저하게 감소되었다고 발표했다.

씨놀의 식품의약적 효능

씨놀의 식품의약적 효능

생활방식의 서구화 및 노령 인구의 증가로 주요 질환의 양태가 급성에서 만성퇴행성으로 바뀌고 있다. 대사성 증후군이 만연하고, 심혈관질환 등 허혈성 질환, 암, 관절염, 치매 등이 주요 질환으로 나타나고 있다. 그러나, 기존 의약품의 효능은 일시적 대증치료에 머물고 있다. 만성적 사용에 따른 부작용이 심각한 상태인데도, 뚜렷한 해소책이 아직 안보인다. 원인이 복잡한 만성퇴행성 질환의 진행을 멈추거나 개선시키는데 서구 의학적 소견에는 한계가 있다. 현 상황이 지속되면, 조만간 천문학적인 의료비의 발생으로 인한 국가적 차원에서 문제도 야기된다. 최근 미국에서는 알츠하이머 치매 환자의 급속한 증가에도 불구하고 유효한 치료법이 없다. 중국, 인도를 비롯한 개발도상국들도 대사성 질환, 심혈관 질환, 암 등 서구형 질병의 양태를 빠른 속도로 답습하고 있다. 그러나, 현재의 의약품 및 의약개발의 원리는 거의 전적으로 질병상태에서 나타나는 대증적 증상을 없애는 데 초점을 맞추고 있다. 기존 의약품은 증상에 대한 빠르고 강한 억제력이 있는 반면 독성 및 부작용이 따른다는 단점이 있으며, 만성퇴행성 질환에 적용하는데에도 한계가 있다.

반면, 식용으로도 가능한 천연 생리활성 성분을 기반으로 하는 식품의약은 증상을 강하게 누르는 방식이 아니다. 그보다는 질병의 복잡한 병리학적 원인을 조율하고 제어할 수 있으며 안전하다는 장점이 있다. 원인치료를 통한 점진적 개선이 그것이다. 이런 치료제는 기존 의약품을 보완하거나 대체할 수 있다는 점에서 잠재력이 크다. 이런 부류로 씨놀을 꼽을 수 있다. 씨놀은 감태에서 추출하는 저분자량의 폴리페놀 화합물 복합체이다. 이 가운데 몇 가지를 소개한다. 먼저 에콜eckol계 폴리페놀 화합물이다. 씨놀은 세계 최초로 표준화하여 2008년 미국 FDA로부터 NDI New Dietary Ingredient 인증을 받은 물질이다. NDI는 2004년 이후 미국에 도입되는 신규 식이 소재의 검사를 엄격하게 시행, 소비자를 보호하기 위하여 식이 소재의 표준화와 안전성을 객관적이고 엄격하게 평가하는 장치이다.

씨놀의 안전성 및 생리활성

갈조류는 플로로탄닌^{phlorotannin} 이라는 폴리페놀계 화합물을 생산한다. 플로로탄닌의 생체학적 역할은 자외선으로 부터의 세포 보호, 세포벽 강화, 금속이온 흡착, 항균작용, 포식억제 등의 기능이 보고되었다. 아직까지 검증 미흡으로 논란의 대상이 되고 있다. 플로로탄닌은 육상식물에서 흔히 볼 수 있는 폴리페놀계 화합물들과는 다르다. 아울러 씨놀을 구성하는 에콜계 분자들에 대한 안전성, 다양한 실험실적 생리활성 연구와 임상적 연구도 진행되고있다.

현재까지 밝혀진 연구보고를 토대로 씨놀을 이용한 식품의약 소재의 개발 가능성이 있는 대표적인 분야는 산화스트레스, 노화, 염증성 질환, 면역계질환, 비만, 당뇨 등 대사성질환, 심혈관질환, 피부질환 등이다. 현재 지속적이고 다양한 연구를 통하여 그 폭이 계속 넓어지고 있다.

산화 스트레스로부터의 보호

인체를 구성하는 최소 단위인 세포는 외부환경을 통해 끊임없이 공격받고 있다. 외부에서 유입되는 방사선, 화학물질, 물리적 스트레스(습도, 온도, 기계적) 및 내부에서 발생하는 염증반응 등

(주로 산화적 스트레스)에 시달리고 있다. 이러한 공격에 의한 손상을 최소화하고 정상적인 세포의 구조와 기능을 유지하기 위하여 방어 및 수리 기재를 작동시키고 있다.

그러나, 이러한 내-외부의 요인에 의한 과부하 상태에 지속적으로 노출되면, 세포는 염증성 전사인자들(NF-kB, AP-1 등)을 세포핵 내로 이동시켜 만성염증을 일으킨다. 특히 노화촉진, 암 발생을 포함하여 각종 만성 퇴행성질환을 발생시키게 된다.

씨놀과 에콜계 화합물은 활성산소(ROS), 활성질소(RNS) 등 프리라디칼에 대한 중화 효과가 뛰어나다. 자외선(UVA 및 UVB), 감마선에 의한 산화스트레스로부터 세포보호 효과가 뛰어나다. 이러한 특성은 방사선 방호제, 암치료 독성으로부터의 세포보호, 암예방 등으로 응용할 수 있다.

항염증 효과

급성염증은 상처나 세균감염 등으로부터 인체를 지키기 위한 방어기재로서 필수불가결한 반응이다. 반면, 만성염증은 각종 만성질환을 일으키는 근본적 원인이 된다. 따라서 만성염증을 효과적으로 제어함으로써, 당뇨, 심혈관질환, 관절염, 치매, 암 등 대부분의 만성질환을 개선시킬 수 있다는 것이 최근 과학계의 정설이다. 염증과 관련된 다양한 과정 및 단계에서 씨놀 및 에콜계 화합물의 염증억제 효과가 하나씩 밝혀지고 있다. 씨놀 및 에콜계 화합물은 단백질 수준에서, 산화스트레스를 낮추는 효과와 더불어 NF-kB 및 MAPK 등의 신호 전달 경로가 활성화되는 것을 억제하는 작용이 보고되고 있다.

항알러지 항균, 항바이러스 효과 ────────────

최근 과도한 면역반응에 의한 천식, 비염, 류마티스성 질환, 아토피 등이 광범위하게 증가하고 있으나 예방 효과를 갖거나 부작용 없이 증상을 호전시킬 수 있는 의약품을 찾기란 쉽지않다.

씨놀과 에콜계 화합물은 동물세포에 대한 우수한 안전성을 가졌지만 항균, 항바이러스 활성도 우수한 것으로 연구되었다. 특히 피부 분야 노화방지 및 피부질환의 개선에 도움이 될 수 있는 다양한 생리활성을 갖는 것으로 보고 되고 있다. 씨놀은 피부 노화요인으로부터 주름발생 및 피부 탄력을 지켜주는 잠재력이 뛰어나다.

씨놀, 세포 노화를 막는 천연물질

씨놀, 세포 노화를 막는 천연물질 _____

미국 소크 연구소^{Salk}의 벨몬테$^{Juan\ Carlos\ Izpisua\ Belmonte}$ 교수는 조로증에 걸린 쥐에게 야마나카 인자를 주입해 회춘시키고 수명을 3분의 1 연장했다. 스페인의 세라노 박사는 세포 단위가 아니라 쥐 전체의 역분화를 시도했다. 2019년 영국 바브라함연구소의 레익 소장은 사람 피부 세포의 역분화를 도중에 중단하면 마치 영화처럼 25년 젊게 변하는 것을 발견했다.*

---

* https://www.chosun.com/economy/science/2022/03/09/
SSVT3MO3ONBS3L7EO6RMK6JVOI/?utm_source=naver&utm_medium=newsstand&utm_campaign=news

과학자들은 세포 역분화를 통한 회춘은 나이가 들면서 유전자에 쌓인 변화를 제거하는 과정이라고 본다. 이를 위해선 세포의 생물학적 나이를 정확히 알아야 한다. UCLA의 호바스 교수는 나이 들면서 변형되는 유전자를 기준으로 세포의 나이를 판별하는 생체 시계를 개발했다.

물론 역분화는 당장 인체에 적용하기는 어렵다. 자칫 끊임없이 증식하는 암세포로 이어질 수 있기 때문이다. 이 때문에 하버드대의 데이비드 싱클레어 교수는 지난해 12월 역분화로 나이든 쥐의 시력을 회복시키는 데 성공했다.

한국과학기술연구원KIST 김소연 박사는 "역분화를 이용한 회춘은 기초 연구 성과가 좀 더 축적돼야 임상에 적용할 수 있을 것"이라며 "세포의 노화 조절이 현재 임상 시험 중으로 기대된다"고 말했다.

이 모든 연구의 기본은 세포 노화를 막는 방향이다. 그런 점에서 씨놀은 세포 노화를 막는 천연물질임을 다시 한번 입증하는 것이다. 씨놀 연구팀의 각고의 노력이 조만간 더욱 빛을 발하게 될 것이다.

2030년 1000조원 이상 커지는 항노화 시장

2030년 1000조원 이상 커지는 항노화 시장

2022년 지난 1월 미국 샌프란시스코에서 항노화 바이오 기업이 공식 출범했다. 이름하여 '알토스랩Altos Labs'이다. 지난해부터 업계에 소문만 무성하던 회사가 모습을 드러냈다. 5월에 영국 케임브리지와 미국 샌디에이고와 샌프란시스코 연구소에서 본격 연구가 시작됐다. 세포와 장기의 생체 시계를 거꾸로 돌려 사람에게 회춘을 돌려주는 기업이다.

세계적 거부인 아마존 창업자 제프 베이조스와 실리콘밸리 노벨상인 '브레이크스루상'을 만든 억만장자 유리 밀너가 각각 30억달러(약 3조6100억원)를 투자한다. 연구진에는 노벨상 수상자를 비롯해 세계 각국 항노화 석학들이 합류했다. 병에 걸리지 않고 건강하게 살다가 마지막 날 편안하게 생을 마감하는 본래의 꿈을 실현한다는 명분으로 엄청난 거액을 투입하기로 했다. 이 회사는 바이오 산업계 스타들로 드림팀을 구성했다.

알토스랩 설립은 2020년 10월 캘리포니아의 로스 앨토스 힐에 있는 유리 밀너의 집에서 열린 항노화 콘퍼런스가 촉발했다. 드림팀은 글로벌 바이오 업계의 스타들이 이끈다. 공동 창업자는 릭 클라우스너 미국 국립암연구소 전 소장과 한스 비숍 '주노세러퓨틱스' 전 대표로 정했다. '주노세러퓨틱스'는 세계 암 연구소의 중심인 미국 '프레드허치슨 암 연구소'와 '메모리얼슬로언 케터링 암 병원'이 세운 바이오 기업이다. 2018년 미국 제약사 셀진이 90억달러(약 10조8000억원)에 사들였다.

앨토스랩의 최고경영자는 글로벌 제약사 글락소스미스클라인GSK에서 연구 담당 사장을 지낸 할 바론이다. 할 바론은 2013년 구글이 인간의 수명을 연장시키겠다고 만든 칼리코에서 대표를 지냈다.

연구진은 그야말로 화려하다. 미국 소크 연구소의 후안 카를로스 이즈피수아 벨몬테 교수와 샌프란시스코 캘리포니아대(UCSF) 피터 월터 교수, 로스앤젤레스 캘리포니아대(UCLA) 스티브 호바스 교수, 영국 바브라함 연구소 볼프 레익 소장, 스페인 생의학연구소 마누엘 세라노 박사 등이 합류했다. 모두 노화 연구에서 세계적 명성을 가진 학자다. 과학자문위원회는 2012년 노벨상 수상자인 일본 교토대의 야마나카 신야 교수가 이끈다.

시장조사 기관인 P&S 인텔리전스에 따르면 글로벌 항노화 시장은 2030년 4228억달러(약 508조원) 규모에 이를 것이다. 지금보다 두 배 반이나 커진다. 항노화 기술은 질병 치료뿐 아니라 미용, 화장품 산업에서도 엄청난 시장 성장이 기대되기 때문이다.

노화를 막고 젊음을 되살리는 방법에는 여러 가지가 있다. 구글이 세운 칼리코는 동물에서 답을 찾고 있다. 벌거숭이두더지쥐는 수명이 32년이다. 같은 크기의 다른 쥐보다 10배 이상이나 오래 산다. 사람 나이로 치면 800세 이상 산다. 칼리코는 지난 2018년 벌거숭이두더지쥐가 수명이 다할 때까지 노화가 거의 진행되지 않는다는 사실을 밝혀냈다.

젊은 피를 받아 회춘을 노리는 방법도 있다. 2005년 스탠퍼드대 연구진은 젊은 쥐와 늙은 쥐의 피부를 연결해 피를 공유시키면 늙은 쥐의 간과 근육이 젊어지는 것을 발견했다. 스탠퍼드대 연구진이 세운 바이오 기업 '엘리비안'은 심장과 근육, 뇌에서 회춘 효과를 내는 혈액 성분을 잇달아 찾아냈다.

좀비 세포를 없애는 방법도 있다. 좀비 세포란 노화로 세포 분열은 멈췄지만 죽지도 않고 각종 질병을 유발하는 세포들이다. 인터넷 결제 시스템 업체 페이팔을 세운 피터 틸은 제프 베이조스와 함께 2016년 노화 세포를 없애는 유니티 테크놀로지를 세웠다.

최근에는 나이 든 세포를 젊게 만드는 역분화가 주목받고 있다. 야마나카 신야 교수는 쥐의 피부 세포에 네 가지 유전자 조절 단백질을 주입해 원시세포인 배아줄기세포 상태로 되돌렸다. 이 공로로 2012년 노벨상을 받았다. 이후 역분화에 쓰인 네 가지 단백질을 '야마나카 인자'로 부른다.

알토스랩스가 탐구하고 있는 기본 기술은 현재 알토스의 과학 고문인 야마나카 신야가 2006년에 발견한 방법이다. 그와 학생들이 발견한 네 개의 단백질(야마나카 인자)은 평범한 세포를 태아에서 발견되는 것과 같은 강력한 줄기세포로 전환할 수 있다.

야마나카의 발견은 환자의 세포를 줄기세포로 리프로그래밍하는 데 사용됐고, 그렇게 만들어진 줄기세포는 이식할 수 있는 조직, 망막 세포, 또는 뉴런을 제조하는 데 사용될 수 있었다. 그러다가 2013년 한 스페인 연구팀이 이를 시도했고 끔찍한 결과를 얻었다. 실험에 사용된 쥐들은 '테라토마(teratoma, 기형종)'라고 불리는 비정상적인 배아 조직 덩어리 종양을 얻게 되었다.

10대 기업 중 8곳,
바이오 산업에 올인

10대 기업 중 8곳, 바이오 산업에 올인 _____

국내 대기업 가운데 가장 먼저 바이오 산업에 뛰어든 기업은 삼성바이오이다. 삼성에 이어 10대 그룹 가운데 현대자동차 그룹과 포스코를 제외한 여덟 곳이 인수합병 등으로 바이오 사업에 진출했거나 지분 투자로 뛰어들었다. 삼성이 바이오의약품 위탁생산(CMO)과 바이오시밀러(바이오의약품 복제약) 사업으로 물꼬를 튼 지 10여 년 만이다. 그야말로 국내 대기업의 '바이오 진출 러시' 현상이다. 과거 "그게 되겠냐" 코웃음 치던 대기업들이 삼성 성공을 목도하더니 줄줄이 뛰어든다.

생명의 시계 되돌리는 드림팀 '앨토스 랩'
2022년 1월 19일 출범. 나이 든 세포, 장기 등을 회춘시켜 건강 수명 연장 목표

30억달러 투자자		공동 창업자	최고경영자
실리콘밸리 노벨상 만든 유리 밀너	아마존 창업자 제프 베이조스	미국 국립암연구소 전 소장 릭 클라우스너	주노 세러퓨틱스 전 CEO 한스 비숍	글락소스미스클라인 연구 담당 전 사장 할 배런

| 조로증 걸린 생쥐에게 역분화 시도해 수명 3분의 1 연장 | 늙은 쥐의 스트레스 반응 조절해 인지 능력 향상 | 피부 세포 역분화로 25년 젊게 하는 데 성공 | 세포 역분화 성공시켜 2012년 노벨 생리의학상 |

주요 연구진			수석 자문 과학자
소크 연구소 후안 카를로스 이즈피수아 벨몬테 교수	미국 UCSF 피터 월터 교수	영국 바브라함 연구소장 볼프 레익	교토대 야마나카 신야 교수

조선경제 2022년 3월 2일자

바이오 사업 진출에 가장 적극적인 업종은 정유·석유화학이다. 친환경 규제 강화 등으로 본업의 미래가 밝지 않아서다.

현대중공업그룹은 작년 말 서울아산병원 영문 이름(AMC)을 딴 암크바이오를 설립했다. 바이오신약 개발이 사업 목적이다. 현대가 3세인 정기선 HD현대(현대중공업지주) 사장은 동생 정남이 아산나눔재단 상임이사와 함께 바이오벤처 최고경영자(CEO)들과 잇달아 접촉했다. 제약·바이오 사업에 뛰어들기 위해 오너가 직접 나섰다.

GS그룹은 국내 1위 보툴리눔톡신 업체 휴젤을 인수한 데 이어 알츠하이머 신약을 개발 중인 바이오벤처 바이오오케스트라에 투자했다. CJ그룹과 신세계그룹(이마트)은 장내 미생물인 마이크로바이옴 업체들과 잇달아 손을 잡았다.

롯데그룹은 지난해 삼성 출신 헬스케어·바이오의약품 생산 공정 전문가를 영입하는 등 바이오 사업 진출을 준비하고 있다. 최근에는 그룹 컨트롤타워인 롯데지주 산하에 롯데헬스케어를 설립했다. 이들 대기업은 기존 주력 사업의 성장성에 한계를 절감했기에, 미래 성장 산업으로 꼽히는 바이오에 관심을 보이고 있는 것이다.

바이오 산업의 경쟁력 일취월장

바이오 산업의 경쟁력 일취월장 ────────

국내 바이오산업이 해외에서 주목할 만큼 경쟁력이 높아진 것도 대기업이 뛰어드는 배경이다. 글로벌 제약사 중 시가총액 1위인 존슨앤드존슨의 호아킨 두아토 회장이 취임 3개월 만에 한국을 찾았다. 두아토 회장은 삼성바이오로직스 경영진을 만나고 삼성서울병원 등 대형 병원을 찾았다. 당시 윤석열 대통령 당선인과도 만나 협력을 약속했다고 한다. 그는 한국을 비롯한 아시아·태평양 지역 제약·바이오 시장의 성장 가능성을 높게 보고 있다.

국내 대기업들이 바이오 사업 진출을 서두르는 이유는 크게

바이오 뛰어드는 대기업	
삼성	삼성바이오로직스, 바이오의약품 위탁생산(세계 1위) 삼성바이오에피스, 바이오시밀러 5종 글로벌 출시
SK	SK㈜, 이포스케시 팜테코 등 의약품 위탁생산 기업 인수 SK바이오사이언스, 코로나 백신 위탁생산 SK바이오팜, 미국 유럽에 뇌전증 신약 출시
LG	LG화학, 신약 후보물질 11개 임상 중
롯데	롯데지주 내 신사업팀 신설
한화	美 바이오벤처 테세라테라퓨틱스에 투자
GS	국내 보툴리눔 톡신 1위 휴젤 인수 바이오벤처 바이오오케스트라 등에 투자
현대중공업	암크(AMC)바이오 설립 현대미래파트너스, 헬스케어 업체 메디플러스솔루션 인수
신세계	이마트 고바이오랩과 합작사 설립
CJ	마이크로바이옴 업체 천랩 인수

한국경제신문 2022년 4월 7일자

두 가지다. 기존 주력 사업의 성장판이 닫혀 가는 상황에서 바이오만한 성장 산업을 찾기 어렵다는 게 첫 번째다.

특히 삼성과 SK가 보여주는 성공 사례는 촉매제가 되고 있다. 이들은 일찌감치 바이오에 뛰어들어 바이오의약품 위탁생산(CMO), 바이오시밀러(바이오의약품 복제약), 백신 사업에서 성공 스토리를 쓰고 있다. 국내 벤처캐피털업계 관계자는 "유망 바이오 벤처를 소개해 달라는 대기업의 요청이 줄을 잇는다"고 했다. 씨놀에도 유럽과 일본 등 세계적 바이오 관련 기업들이 대단한 관심을 보이면서 투자 의향을 보이고 있다. 이들 바이오 기업들은 씨놀이 미래 바이오 산업을 선도할 것이란 전망을 내놓고 있다.

석유화학, 정유, 조선 등 '굴뚝산업'은 한국 경제를 지탱하는 대표 업종이지만 전망이 밝진 않다. 세계적으로 친환경 규제가 강화되면서 정유·석유화학은 사양 산업으로 지목되고 있다. 끝이 보이는 '시한부 사업'이라는 의미다.

바이오산업의 전망은 대단히 밝다. 글로벌 바이오산업은 우선 2027년까지 전망치를 볼 때, 연평균 7.7% 성장할 것으로 전망된다. 정유 사업 비중이 큰 GS그룹이 바이오 사업에 뛰어든 것은 이런 배경에서다. 한화그룹 역시 바이오 사업에서 기회를 찾고 있다. 한화는 2000년대 초반 바이오에 뛰어들었다가 쓴맛을 보고 접었다. 그룹 차원에선 바이오 사업 재진출에 선을 긋고 있지만 한화임팩트가 최근 미국 유전자 치료제 개발 회사에 투자했다.

CJ그룹도 바이오·제약 사업에 다시 진출했다. CJ헬스케어(현 HK이노엔) 매각으로 손을 뗀 지 5년여 만이다. CJ는 장내 미생물인 마이크로바이옴을 활용해 면역항암제와 염증성 장질환치료제 등을 개발하는 천랩(현 CJ바이오사이언스)을 인수했다. 3년 내 신약 후보물질 10개를 확보하는 게 목표다.

신세계그룹 계열인 이마트는 또 다른 마이크로바이옴 바이오벤처 고바이오랩에 투자했다. 고바이오랩과 마이크로바이옴을 활용한 건강기능식품 사업에 나설 계획이다. 유통업계 관계자는

"국내 유통 시장은 사실상 포화 상태"라며 "기존 사업을 확장시켜 성장할 수 있는 사업을 찾고 있다"고 했다.

정보기술(IT)업계도 예외가 아니다. 인터넷 기업 네이버와 카카오는 건강·의료 빅데이터를 활용한 헬스케어 사업 진출을 준비하고 있다. 네이버는 나군호 세브란스병원 비뇨의학과 교수를, 카카오는 황희 분당서울대병원 소아청소년과 교수를 사업 수장으로 영입했다. 삼성이 2008년 바이오를 '신수종 사업'으로 꼽았을 때만 해도 코웃음 치는 듯한 시선이 적지 않았다. 제약·바이오 산업은 전통적으로 미국·유럽의 선진국 중심으로 형성되기 때문이다. 그러나, 지금은 '우리도 성공할 수 있다'로 바뀌고 있다.

초장수 사회와 씨놀

초장수 사회와 씨놀

향후 다가올 초장수 사회는 저출산과 함께 사회적 대세로 자리잡을 것이다. 2060년 한국은 국민의 2.5명 중 1명이 65세 이상 고령자가 될 것으로 예측되었다. 이에 대해 노인만 있는 '단일적' 사회로 상상 할 수도 있다. 하지만, 실제로는 지금보다 더 다양성이 넘치는 사회가 될 것이다. 고령자가 늘어나는 사회는 다른 연령대 사람들이 많은 사회와 비교해 보다 다양화 될 것이다. 초등학생을 예로 들어본다. 일반적인 초등학교라면 우등생과 열등생의 IQ 차이가 있다고 해도 고작 80~120 정도의 사이의 수치를 보일 것이다. 50m 달리기를 해도 빠른 아이가 6~7초, 느린 아이고 해도 15초면 달릴 수 있다.

각각의 능력의 차이가 있다고 해도 그 정도 밖에 차이가 나질 않는다. 그러나, 고령자 사회를 상상해본다면 좀 다르다. 80세에 치매가 진행되어 대화가 잘 되지 않는 사람이 있는가 하면, 그 나름대로 지금까지 일이나 지적인 활동을 계속하는 사람이 있다. 아울러 노벨상을 받고, 훌륭한 연설을 할 수 있는 사람마저도 있을 것이다. 눕기만 하는 생활을 하거나 일상에서 간호가 필요한 사람도 있고, 매일 산책하거나 수영이나 골프 등 스포츠를 즐기는 80세 노인도 있을 수 있다. 장수 사회가 되면 신체 능력과 뇌 기능에 있어서 개인차가 많이 벌어진다. 고령자가 대다수가 되어 가는 앞으로 사회는 확실히 다양성으로 가득 찬 사회가 될 것이다. 이러한 '건강 격차'가 생기는 것이 앞으로의 사회의 특징이 될 것이다.

가까운 미래에 iPS 세포를 사용한 다양한 재생 기술과 치료법이 일반화된다는 것을 충분히 예상할 수 있다. 이러한 의학의 진보가 죽음에 이르는 질병을 극복하고 앞으로 우리의 수명을 연장시켜 나갈 것으로 생각한다.

그런데 여기서 문제가 있다. 의학의 진보에 의해 암이나 심장질환, 뇌혈관 질환 등 3대 성인병을 어느 정도 극복하고, 또 iPS 세포를 사용한 치료법이 개발되면서, 어떠한 장기도 새것처럼 재생해 회춘할 수 있다고 해도, 뇌의 노화를 멈추거나 뇌를 젊게 되돌릴 수는 없다는 점이다.

우리 몸은 간과 신장, 피부 등의 세포가 세포 분열을 하고 있어 시간이 지나면 새로운 세포로 교체된다. 유일하게 뇌는 원칙적으로 새로운 세포를 만들지 않는 기관으로 알려져 있지만, 지금은 이런 종래 학설에 변화가 일어나고 있다. 뇌 신경 세포에 iPS 세포를 이식하고 세포분열이 일어나 새로운 뇌신경 세포가 만들어질지 현재로선 알 수 없다. 하지만, 머지않아 인공지능을 활용한 다양한 학설이 나올 것이다.

만약, 새로운 뇌 신경세포가 테어나고 오래된 세포를 바꿀 수 있다고 한다면 어떻게 될까.

이는 지금까지의 정보가 입력되지 않은 새로운 뇌가 되어버린다. 당연히 새로운 신경세포가 생겼다면 지금까지의 데이터를 베끼는 기술이 필요해진다. 하지만, 지금으로선 그러한 기술에 도달하지 못하고 있다. 이를 분석 해명해서 재생된 새 뇌신경 세포로 이제까지의 데이터를 입력시키는 것이 언젠가는 가능하게 될지도 모른다.

뇌의 노화에 따라 초래되는 알츠하이머 치매에 대해서도 세계적으로 많은 사람들이 연구에 몰두하고 있다. 아직까지 치료법은 알려져 있지 않다. 아직 가설 단계이지만, 뇌 속에서 아밀로이드라는 물질이 쌓여 알츠하이머병이 발병한다고 알려져 있다. 아밀로이드의 생성, 축적을 멈추는 약을 개발할 수 있다면 근본적인 치료법이 될 것이다. 이 치료약의 임상 실험은 20~30년 전부터 실행하고 있다. 동물 임상 실험에서는 다소 성공한 예도 있는 것으로 보고되고 있다. 하지만, 인간 대상의 임상 실험에서는 거의 성공하지 못해 연구에 투자해 온 기업들이 속속 철수하고 있는 실정이다.

즉, 뇌의 노화를 멈춘다는 것은 그만큼 어려운 일이다. 최근 치료 약이 미국에서 유통 허가를 받았다고는 하지만, 아직 꽤 비싼 편이다. 어쨌든 의학적 진보로 인해 큰 질병을 극복하고 여러 몸 속 기관들을 회춘시킨다 해도 결국 사람은 뇌부터 늙어간다는 사실은 피할 수 없다.

필자가 씨놀 연구자로서 깨달은 사실인데, 85세 이상의 노인 중 알츠하이머 치매 증상이 뇌에 보이지 않는 분은 없다는 것이다. 그 정도의 나이가 되면 뇌는 확실히 늙어간다는 것을 입증한다. 경중의 차이는 있겠지만, 85세가 지나면 모두 뇌가 병드는 주요인으로 알츠하이머성 치매를 꼽고 있다.

사람 수명이 향후 100세 가까이 연장된다는 사실은 불균형을 초래하기 십상이다. 신체는 어느 정도 건강이 유지되지만, 뇌 건강은 그렇게 유지할 수 없다는 불균형이다. 결과적으로 치매 등과 함께 보내는 노년 기간이 길어진다는, 추하고 끔찍한 만년이 기다리고 있다는 말이다.

1960년대만 해도 알츠하이머성 치매에 걸리면 5, 6년 만에 죽는 병으로 모두 알고 있었다. 그러나, 지금은 이 병에 걸려도 10년 동안 생존하는 것은 보통이다. 앞으로는 더 길어질 것이다. 비관적으로 설명한다면, 수명이 점차 연장되는 향후 시대 선택지는 두 가지이다. 아직도 석연히 해명되지 않은 질병으로 일찍 사망하거나, 100세 근처까지 장수하면서 노망하여 죽거나 둘 중 하나라는 것이다. 우리 인생의 말년이 크게 바뀌려고 있다. 바이오 산업에 대기업들이 대폭 투자하는 이유이다. 씨놀 역시 대기업들이 큰 관심을 쏟고 투자를 관망하고 있다는 보고가 씨놀 연구팀에 날아들고 있다고 한다.

7장

수분과 질병

인체 항상성의 기본은 수분

인체 항상성의 기본은 수분 ───────────

사람은 병이 들면 원인을 알기 위해 의사를 먼저 찾는다. 이 과정에서 환자들은 물의 중요성을 직·간접적으로 깨닫게 되는 경우가 많다. 치매는 나이 먹고 늙어서 생기는 현상이 아니다. 치매는 물을 잘 마시지 않아서 생기는 병 중 하나이다. 우리 몸은 참으로 과학적이고 오묘하다. 몸속에서 수분이 부족해지면 수분 없이도 생체활동을 할 수 있는 부분부터 물 공급을 줄여 나간다. 그럼 신체 가운데 어디가 먼저 늙어 갈까. 바로 피부이다. 피부에 수분이 말랐다고 생명을 잃지는 않는다.

이어 수분 부족이 계속되면 어느 부위부터 물을 줄여나가는

가. 바로 장기이다. 이때 50~60대에 해당한다. 이 시기에 대부분 몸이 구석구석 아파지는 이유도 물이 부족해서 누적되기 때문이다. 계속 물을 보충하지 않으면, 최종적으로 뇌에 수분 공급이 잘 되지 않는다. 뇌가 아프기 시작한다. 그래서 나이가 들면 가장 흔한 질환이 치매나 알츠하이머병 등 뇌 질환이다. 나이가 들면 물이 별로 마시고 싶어지지 않는다. 뇌에서 갈증을 느끼는 부분의 기능이 점점 퇴화하기 때문이다.

몸속에서 물이 부족하게 되면 만병의 근원이 된다. 반대로 물만 잘 마셔도 질병 80%는 신체 스스로 회복하는 능력을 갖고 있다. 항상성이 그런 것이다. 수분을 충분히 공급하면, 치매 예방은 물론 치매의 진행속도까지 늦출 수 있다.

그런데, 물을 마시려해도 먹히지 않는다. 나이 드신 어른들이 물 한 모금 못 마시는 경우가 많다. 이는 물과 인체의 밸런스가 잘 맞지 않아 일어나는 현상이다. 수분은 가수분해라는 생명활동과 함께 인체의 밸런스를 조절하는 기능을 갖고 있다. 사람이 섭취하는 물질 가운데, 수분이 가장 중요한 성분이다. 차가운 물보다는 상온의 물만 마셔도 건강을 돌볼 수 있다. 냉수는 몸의 체온을 떨어뜨린다. 체온이 1도 떨어질 때마다 면역력은 30%, 기초 대사력은 12% 가량 떨어진다.

암세포는 저체온에서 활성화 되고, 고체온에서는 활동을 아예 못한다. 물을 상온에 놓고 마시는 습관부터 가지면 면역력도

대사력도 모두 호전된다. 물을 마실 때 일어나는 신체의 변화를 보면 알 수 있다.

첫째, 두뇌의 회전력이 향상된다. 수분이 충분히 공급되면 뇌는 더욱 좋은 쪽으로 활동한다.

뇌 활동에는 많은 양의 산소가 필요하다. 수분은 가장 많이 산소를 공급해주기 때문에 뇌 활동에서 수분의 역할은 대단히 중요하다. 물을 자주 마시게 되면 두뇌의 반응이 빨라지고 집중력과 창의력이 높아진다. 충분한 수분이 공급되면, 두뇌의 인지 능력이 30% 이상 향상된다는 연구결과도 있다.

둘째, 원활한 수분 공급의 경우 피부가 깨끗하다. 보통 피부가 어두운 사람을 살펴보면, 불규칙적이거나 질서가 흐트러지는 경우를 볼 수 있다. 수분을 제때 공급하지 못한다는 의미다. 물은 노화를 늦춰주고 피부를 깨끗하고 맑게 해주는 역할에서 탁월하다. 깨끗한 피부와 동안을 갖고 있는 사람들을 보면 대개 물을 잘 마신다. 탈수증상에 동반되는 두통과 소화불량도 사라지니 얼굴 피부도 밝아지는 것이다.

셋째, 체중 조절이 가능하다. 물은 칼로리 없이 수분을 공급해 준다. 하루 3 ℓ 의 물을 마신 사람은 한 달 동안 2㎏을 감량하고 허리 사이즈도 줄어든 현상을 볼 수 있다. 이는 몸의 기능을 회복하는 데에 도움주고 면역력을 높여주기 때문이다. 적당한 양

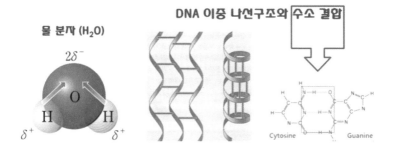

물 분자 (H₂O)

$2\delta^-$

O

H   H

δ^+ δ^+

DNA 이중 나선구조와 수소 결합

Cytosine   Guanine

✓ H₂O 분자 자체 또는 수소결합의 형태로 수화(水化)
✓ 필수, 변성 생체분자 구조의 완전한 복원

➡ 전신 면역력 강화

물 분자는 산소 한 개와 수소 두 개로 만들어진다. 산소는 약 음성을, 수소 는 약 양성의 전하를 띠어 극성을 갖는다. 이런 특성으로 몸속 수분은 단백질 및 DNA를 포함한 각종 생체 분자 내 또는 분자들 간에 물 분자(H₂O) 또는 수소결합의 형태를 이룬다.
생체조직 분자 구조 유지의 기능을 갖는 이유이다. 구조-기능 상관성이 이것이며, 물은 면역력 발휘의 본체가 되는 것이다.

의 물을 섭취하면 간과 신장의 기능을 도와주고 혈액에서 독성 물질과 나트륨을 배출하는데 효과적이다. 수분에 대해 설명하는 이유는 씨놀 성분이 수분 섭취에 이로운 몸속 환경을 만들어주기 때문이다. 씨놀은 수분이 몸속에 잘 스며들어 녹아들도록 매우 효과적인 작용을 한다. 이에 대한 임상실험은 씨놀 연구팀이 국내외 각 대학 및 연구소에서 실행해서 자료와 데이터를 보관하고 있다. 필요한 경우 얼마든지 열람할 수 있다.

수분 부족이 뇌 건강에 미치는 영향　————————

조선의 명의 허준도, 중국의 전설적 의사 화타도, 우리 모두 잘아는 의학의 아버지 히포크라테스도 음식은 곧 약이고 약이 곧 음식이라고 했다. 우리 몸 안 자연 치유력이 모든 질병의 진정한 치유제라고 했다. 핵심은 세포이다. 나이 들면 피할 수 없는 노환에는 근감소증이 따른다. 근감소증은 WHO가 인정한 질병으로 의료보험 적용을 받는다. 그런데, 문제는 약도 없고 치료는 더더욱 캄캄하다. 나이 들면 세포 내 수분이 감소하고 그러면 세포 자체가 쪼그라드는 것은 당연하다.

세포에 수분을 다시 채워주어 젊고 건강할 때의 세포로 돌아가게 해준다면 노화는 방지되는 것 아닌가? 세포 안에 수분량이 적정하면 건강해지고, 건강한 세포가 연쇄적으로 건강한 세포를 생산한다.

물 한 병을 들고 다니면서 하루 동안 마셔본다. 하루에 물 8잔을 마셔야 한다고 스스로 강박하지는 말자. 꾸준히 체내 수분을 채우는 버릇을 들여야 한다. 작은 노력이지만 그만한 가치가 있다. 온종일 수분을 보충하는 것이 가장 좋은 방법이다. 매 시간마다 한 모금씩 물을 마시면 피로가 줄고 한 번에 물을 잔뜩 마시지 않아도 된다. 또한 신체 내외부 균형을 맞출 수 있다. 물을 챙겨 마시면 신장, 간, 심장 등의 건강이 좋아진다. 그보다도 물이 뇌 기능에 미치는 효과는 훨씬 크다.

뇌는 에너지를 가장 많이 필요로 하는 기관이며 75%가 물로 구성되어 있다. 뇌 기능을 유지하려면 수분이 다량 필요하다. 하루에 평균 7~8잔의 물을 마셔야 한다고 하지만, 각자 신체 활동 수준에 따라 필요한 수분량은 달라질 수 있다.

특히 수분은 뇌 기능 활성화와 가장 관련이 깊다. 뇌가 제대로 작동하려면 적절한 수분 공급이 필수적이다. 뇌세포가 활동하는 데는 물과 다른 요소들이 섬세하고 정확한 균형을 이뤄야 한다. 아침 기상하면 먼저 물을 마셔야 한다. 잠에서 깬 직후가 뇌에 수분을 공급해야 하는 시간대이다. 보통 7~9시간 자면 땀을 흘리지 않았더라도 체내 수분이 줄어든다.

　잠자는 동안 깊이 숨을 쉬면서 수분을 배출하므로 아침에는 뇌에 탈수 현상이 생긴다. 뇌 기능을 활성화하고 싶다면 물과 과일을 섭취하도록 한다.

　뇌 집중력 향상에는 수분이 최고 성분이다. 수분이 공급되면 뇌로 향하는 혈류량이 늘어난다. 그러면 뇌 산소와 영양소를 충분히 공급해줄 수 있다. 대개 탈수 현상에 별로 신경 쓰지 않는다. 극단적인 상태가 됐을 때만 알아차린다. 어지럼증이나 피부가 찢어지게 건조해졌을 때만 수분이 부족하다고 느낀다. 이는 나이가 들어갈수록 더욱 그러하다. 뇌는 수분 부족 현상을 제일 먼저 감지한다. 커피나 홍차를 마시면 잠깐 도움이 될 수 있지만 온종일 이러한 음료를 마셔서는 안 된다. 집중력이 감소하는 매 45분마다 한 번씩, 물 한 모금을 마시면 좋다.

　물은 신체의 감정 균형 유지에 필수적이다. 물과 정신 건강과 관련이 있다는 것이 이상하게 들릴지도 모른다. 바닷가에 가고 싶을 때가 있다. 바다를 바라보고 바람을 느끼면서 파도 소리와 바닷냄새로 긴장이 풀릴 때가 있다. 이처럼 바다를 바라보고 느끼는 것 외에 우리의 정서 세계도 마시는 물에 영향을 받는다. 물을 마시면 뇌 온도가 올라가고 독소와 죽은 세포를 제거한다. 정서적 재가동, 즉 정서 균형을 취하는 화학적 균형에 도달하도록 돕는게 수분이다.

몸속에서 수분의 활동과 기능

세포내액을 형성한다

몸속 대사를 돕는다(매개체)

혈장을 만든다

산소, 영양물질 **운반**	불필요한 성분 배출
체온 **조절**	세포내액의 **조절**

그렇다고 물을 연거푸 2잔 마신다고 해결되지는 않는다. 항상 뇌의 수분을 유지하는게 중요하다. 물을 한 모금씩만 마셔도 세포가 활성화하며 스트레스와 불안을 조절한다.

잠이 보약이라는 말이 있다. 숙면을 취해야 한다는 것이다. 물이 숙면에 큰 도움을 준다. 잠자리에 들기 전에 물을 조금 마시면 한밤중에 화장실을 가게 될 수도 있지만, 몸에는 좋다. 물 반 컵이라도 자기 전에 마시면 좀더 숙면을 취할 수 있다.

수분은 또한 기억력 개선에 큰 도움을 준다. 아무리 가벼운 탈수 현상도 즉각적인 항상성 불균형을 야기한다. 기능 장애가 시작된다. 이러한 장애는 생존에 영향을 미친다. 그중에는 인지 민첩성 감소 증상이다. 무언가를 기억하기 어려워지며 정보 추론이나 오래된 기억을 상실할 수 있다.

모든 화학성분은 서로 결합한다. 물도 산소와 수소가 결합해서 생긴다. 제일 센 결합은 금속결합으로 소금, 즉 나트륨과 염소가 붙는 것이다. 두 번째 센 결합은 수소결합이다. 물은 물끼리 연결한다. 그런데, 물은 온도가 높아지면 날아가고 흩어진다. 씨놀이 들어가서 물을 결합시키는 그물을 만들어 준다면 어떻게 될까. 물로 만들어진 그물이 물이 든 세포를 감싼다면, 세포 안 수분이 적정하게 유지되고 건강해질 수 밖에 없다. 세포끼리는 서로 커뮤니케이션을 하니 그 시너지 효과는 우리가 함부로 측정할 수 없다.

씨놀,
성기능 향상에 탁월한 효과

씨놀, 성기능 향상에 탁월한 효과 ─────────

성기능을 제대로 발휘하려면 음경 관련 신체 기관들이 제대로 작동해야 한다. 발기에 관여하는 음경해면체, 신경, 혈관, 및 호르몬이 전부 정상적으로 작동해야 한다. 그 중 음경해면체 중앙에 위치하는 작은 혈관인 음경 동맥이 성적자극으로 흥분되어 확장되고, 음경 해면체 내로 혈류량이 증가하여 음경 해면체 내에 혈액이 가득하게 되어 발기가 일어난다. 그리고 발기가 성관계 동안 유지되어야 한다. 음경 동맥으로 유입된 혈액이 정맥을 통해 바로 배출되지 않고 일정시간 머물러야 발기가 유지된다. 다시말해, 음경동맥을 통하여 혈액이 유입되고, 유입된 혈액은 혈액으로 충만된 음경해면체가 음경정맥을 압박해야 음경 정맥으로 혈액이 유출되지 않는다. 이를 통해 발기가 지속 된다. 반면, 음경동맥으로 혈액 유입이 적거나, 음경정맥을 통한 혈액의 유출이 많으면 발기 유지가 어려워진다.

이렇게 발기의 시작 및 유지 전 과정 동안 음경의 동맥혈관은 가장 중요한 역할을 한다.

음경해면체 동맥은 미세한 혈관으로 당뇨, 고혈압, 고지혈증, 산화적 스트레스 등이 지속되면 쉽게 혈관의 탄력성이 떨어진다.이는 혈류 흐름에 이상을 초래한다. 죽상동맥 경화증으로 해면체 동맥의 혈관 내경이 50%정도 감소하면 발기에 이상이 발생한다. 발기부전이다.

그런데, 씨놀을 몇개월 섭취하면 혈관의 산화적 위험 요소를 줄인다. 씨놀은 음경해면체 동맥뿐만 아니라 성적 기능을 담당하는 신경, 근육을 둘러싸는 말초혈관의 혈액순환을 개선시킨다. 이런 방식으로 성적기능을 향상시키며, 특히 아무런 부작용이 없다는 것도 실험을 통해 증명되고 있다. 발기능력 향상뿐만 아니라 혈관 시스템의 정상화에 천연 예방제로 씨놀은 이상적인 성분이다.

편파적 보도에,
누명을 쓴 씨놀 연구팀

편파적 보도에 누명을 쓴 씨놀 연구팀　＿＿＿＿＿＿

　이에 대한 설명을 하기 전에 2002년 '주간동아 356호'에 나온 기사를 먼저 소개한다.

　"코스닥시장 개장 이래 최저치로 급락하던 10월9일 유일하게 상한가 행진을 계속한 벤처기업이 있었다. 건강식품 제조회사인 벤트리㈜가 바로 그 주인공. 9월 말 주당 2030원대에 있던 이 회사의 주가는 10월7일 이후 연 5일째 상한가를 기록하며 3690원대를 훌쩍 넘어섰다. 주가를 이처럼 폭등시킨 시장 재료는 이 회사가 발견한 VNP54라는 성기능 향상 물질.

하지만 증권사 애널리스트들은 한결같이 주가 폭등의 원인으로 이 회사의 독특한 '언론플레이'를 꼽는다. 이 회사 '언론플레이'는 무엇인가.

이를 엿볼 수 있는 단초는 10월8일 벤트리가 주요 일간지에 실은 대형 광고.

이는 붉은 바탕에 씌어진 '새빨간 거짓말!'(연예인 하리수의 데뷔 당시 광고 복사)이라는 문구로 일단 독자들의 시선을 끌었다. 이 광고는 'VNP54의 효과가 비아그라보다 낫다고?'라며 비아그라를 능가하는 의약품의 출현을 암시했다. 그 아랫단에는 고려대 의대에서 실시한 VNP54의 성기능 개선 임상실험 결과(개선효과 81.0%)와 발기부전 치료제 비아그라의 임상실험 결과(81.2%)를 비교해 보여줌으로써 자사의 제품이 비아그라에 버금가는 성기능 개선 효과가 있음을 시사했다. 한술 더 떠 이 회사는 '비아그라는 일시적인 치료 효과밖에 없으며, 부작용이 이미 보고된 반면, 이 제품은 처방전 없이도 구입할 수 있다'라는 식의 설명을 덧붙이면서 비아그라는 한계가 뚜렷한 의약품이며 이에 반해 자사 제품은 부작용이 전혀 없는 획기적인 발기부전 향상 물질임을 독자의 뇌리에 심어줬다. 광고가 나가자 이 회사에는 제품을 사려는 독자들의 문의가 쇄도했고, 주가는 폭등세를 이어갔다.

광고를 통해 보여지는 이미지와는 달리 실제 VNP54는 의약품이 아닐 뿐더러 식재료도 아니다. VNP54는 국내 자생 갈조류에서 추출한 천연물질이다. 이 회사가 이 물질을 원료로 만든 제품 '섹소스'는 영양보충용 식품(비타민 보충용 식품)으로 등록돼 있다. 문제는 이 회사가 자신들이 발견한 천연물질과 전문의약품인 비아그라를 비교 대상으로 삼았다는 점. VNP54의 임상실험을 담당했던 고려대 의대 비뇨기과 이정구 교수는 "VNP54의 성기 능 향상 효과가 뛰어난 것은 사실이지만 비아그라와 비교할 정도 는 아니다"며 "회사측이 왜 이런 비교 광고를 냈는지 모르겠다" 고 의아해했다. 이 교수는 "비아그라는 의약품이기 때문에 부작 용이 있을 수 있는 것이고, VNP54는 천연물질이기 때문에 부작 용이 없는 것이 당연하다. 비아그라와 비교하려면 같은 조건에서 임상실험을 해야 한다"고 덧붙였다.

벤트리의 한 관계자는 "광고효과를 극대화하기 위해 이미 한 달 전부터 기자회견과 광고 문안을 준비하기 시작했다. 광고에 법률 상 하자가 없다"고 했다. 또한 "상대 회사측이 크게 반발하면 할 수록 광고효과는 더욱 커질 것"이라며 은근히 비아그라 제조사 인 화이자가 싸움을 걸어오기를 바라는 듯한 인상까지 풍겼다. 실제 이 회사는 임상실험을 한 대학의 홍보과를 통해 낸 보도자 료에서 마치 이 대학측이 이 물질을 발견한 주체인 것처럼 제목 을 붙였다. 각 방송사는 이를 근거로 보도를 내보냈다. 방송이 나 간 다음 날, 바로 문제의 광고가 일제히 나갔고 그 광고에는 '어 젯밤 방송을 보았느냐'는 문구가 들어 있었다.증권가에서는 벤트리가 7월에도 이런 방법으로 주가를 3배 가까이 끌어올린 적이 있으며 성기능 강화물질이 나올 때마다 '반짝효과'는 있었지만 이처럼 폭등한 경우는 극히 드물다고 했다.

이상은 2002년 주간잡지 실린 기사를 간추린 것이다.

이 기사에 대한 제목도 "비아그라에 딴죽 건 숨은 '의도' 있나? - 성기능 개선 천연물질 개발 벤처기업… 대대적 비교 광고로 '주가 띄우기' 의심"으로 달았다.

이 잡지의 기사를 살펴보면 알쏭달쏭하다. 중립적인 저널리즘에 입각한 기사라면 당연히 VNP54에 대한 성분 분석을 정확히 한 다음, 주가 띄우기인지 무엇인지에 관한 비판적 기사를 냈어야 옳다. 다짜고짜 주가 띄우기부터 지적한 것은 이 기사를 쓴 '의도'가 무엇인지 의심하도록 만든다. 더구나 국내 학자가 각고의 노력 끝에 처음 발견한 천연물질에 대한 분명한 설명도 없이 "화이자의 의약품 비아그라와 견주려고 한다"는 '국적 불명'의 기사를 쓴 것에 대해 의도를 의심할 수밖에 없다. 비아그라를 도입한 회사와 이 글을 실은 잡지와의 관련성을 의심하지 않을 수 없다.

결론부터 말하자면, 이 물질을 만든 씨놀 연구팀과는 무관하다는 점이다. 또 잡지 기사에 실린 벤트리 와도 무관한다는 사실이다. 더욱이 주가 띄우기라는 불법적 행위는 더욱 관련이 없다는 사실을 밝혀두고자 한다. 이 물질을 만든 이행우 박사와 '아이오와 9인'은 더불어 각고의 노력으로 모든 사람에게 도움되는 신물질 개발에 공을 들였다. 나아가 해외 거대 다국적 제약사의 횡포에 맞서 한국산 신물질을 개발하는데 온 힘을 기울여온 순수 연구자일 뿐이다.

필자가 20년도 더 지난 잡지 기사에 대해 다소 장황하게 설명한 것은 간단하다. 씨놀이라는 물질, 즉 세계적인 한국산 천연물질이 성기능 개선에 탁월하다는 것을 강조하려는데 있다.

이행우 박사팀이 개발한 VNP54에 대한 실험은 그해 10월 18일자 각 일간 신문에 잘 나와 있다. 그 중 한 기사를 옮기면 이렇다.

"벤트리는 최근 자체 개발한 천연생리활성 물질 VNP54를 고대 안암병원 비뇨기과에서 임상시험한 결과 기존 성기능 개선 의약품에서 나타나는 부작용 없이, 성기능 개선효과가 우수한 것으로 입증됐다고 밝혔다. VNP5는 해조류에서 추출한 것으로 천연 항산화 성분을 갖고 있어 노화 방지와 혈류 개선에 효과가 있는 물질로 벤트리가 개발한 것이다. 임상시험을 진행한 고대 안암병원 김제종, 이정구 교수팀은 지난 4월부터 이 물질을 발기부전 증상이 있는 남성 31명에게 6주간 투여한 결과, 25명 (81%)에게서 성기능 개선 효과가 나타났다고 설명했다. 교수팀은 기존 성기능 개선 의약품에서 얼굴 화끈거림이나 두통 등의 부작용이 나타난데 반해, 이 물질은 부작용이 전혀 나타나지 않았다고 말했다.

교수팀은 특히 이 물질이 발기를 일으키는 혈관의 기능과 조직을 근본적으로 회복시킴으로써 장기적인 효과도 기대할 수 있다고 덧붙였다. VNP54에 함유된 천연성분들은 음경조직내 혈관기능을 근본적으로 회복시켜 독성이나 부작용 없이 발기기능을 개선시키는 것으로 밝혀졌다.

수분과 염분 그리고 세포

삼투에 의한 물의 이동

씨놀의 몸속 역할을 좀더 이해하기 위해서는 세포 안팎의 기작을 먼저 이해할 필요가 있다. 몸속의 세포막은 반투막이다. 물을 쉽게 통과시키고 용질은 잘 통과시키지 않는 선택적 투과성을 가리킨다. 몸속의 수분 이동에는 삼투압이 작용한다. 용질의 농도가 낮은(묽은 용액)에서 농도가 높은 쪽(진한 용액)으로 수분이 이동하여 농도를 같게 하려는 성질이 삼투Osomosis 현상이다.

몸속 각 세포에 존재하는 수분 함량은 항상 일정하게 유지된다. 이를 위해 수분은 필요에 따라 세포 안이나 밖으로 빠르게 이동한다. 세포막을 통한 수분의 이동은 삼투압 차이로 이뤄진

모세혈관에서 나트륨, 산소 영양분의 통과 모식도

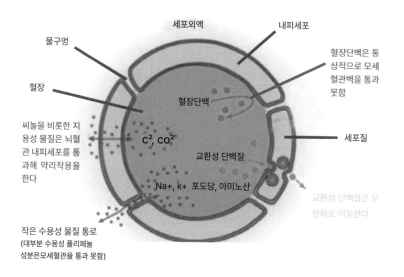

다. 이 과정에서 전해질이 작용한다. 세포내외에 존재하는 전해질의 농도차에 따른 삼투압으로 수분이 이동한다. 세포내액의 칼륨은 높게, 나트륨은 낮게 유지하고 세포외액의 나트륨은 높게 칼륨은 낮게 유지하려고 한다. 즉 Na^+은 세포외액에 세포내액보다 10배이상 많이 들어있고, K^+는 세포내액에 외액보다 30배 안팎의 농도로 함유되어 있다. 이는 정상적인 세포 활동을 위한 농도이다.

그림에서 처럼 세포막에는 Na^+/K^+ pump(나트륨 칼륨 펌프)라는 운반체가 있다. 농도차에 역행해서 Na^+를 세포 밖으로 내보내고 K+를 세포안으로 들여 보내는 역할을 한다. 정상적 성인의 체내 나트륨양은 체중의 0.15~5%(체중 70kg인 경우 약 105~140g)를 차지한다.

나트륨의 약 50%는 세포외액, 10%는 세포내액에 존재하며 나머지 40%는 골격표면에 존재한다. 식사에서 주로 공급되는 소금(NaCl)은 40%가 나트륨이고 60%가 염소이다.

나트륨은 섭취한 양의 대부분(95%)이 소장에서 능동 흡수된다. 일부는 결장에서 흡수된다. 흡수된 나트륨은 혈액을 통해 운반되며 혈중농도를 정상으로 유지하는데 필요한 만큼만 신장에서 재흡수되고 나머지(90~95%)는 소변으로 나간다. 이는 부신피질에서 분비되는 알도스테론의 작용에 의해 이루어진다. 땀을 많이 흘리거나, 목욕탕에 다녀오면 힘이 빠지는 이유는 나트륨이 땀으로 같이 배출되기 때문이다.

나트륨과 염소가 중요한 이유

삼투압 유지와 수분 평형 조절 ──────────

나트륨은 세포외액에 존재하는 주요 양전하를 띤 이온이다. 세포외액의 삼투압을 유지하여 체액의 양을 조절하는 주된 성분이다. 세포내외의 삼투압은 주로 나트륨 이온과 칼륨 이온으로 조절된다. 세포외액의 나트륨이온과 칼륨이온의 비율이 약 28:1, 세포내액의 나트륨이온과 칼륨이온의 비율이 1:10으로 유지될 때 체액의 삼투압이 정상(300오스몰)으로 유지된다. 나트륨이 세포외액 삼투압에 기여하는 정도는 약 85% 정도이다.

세포내액과 세포외액의 전해질 조성차이로 세포막은 일정한 막전위(전위차)를 형성한다. 몸속 세포들은 자극을 받지 않는

안정된 상태에서 칼륨은 세포내액에, 나트륨은 세포외액에 고농도로 존재한다. 세포에 자극이 가해지면 나트륨은 세포외액에서 세포내액으로 들어간다. 이를 통해 신경자극의 전달 및 근육수축 현상이 일어난다. 곧이어 칼륨은 세포내액에서 세포외액으로 나오게 된다. 신경자극이 전달되고 근육이 수축되고 나면 칼륨과 나트륨은 다시 재빨리 제자리로 돌아와 세포내외의 농도를 정상으로 유지한다.

영양소 흡수, 노폐물 제거에 핵심 역할 ————

나트륨은 소장에서 능동수송에 의해 다른 영양소(포도당, 아미노산)의 흡수를 돕는다. 나트륨이 이들 영양소와 함께 세포막의 운반체에 결집한 후 농도차에 의해 나트륨이 세포안으로 들어갈 때 영양소도 함께 들어간다. 따라서 나트륨이 부족하면 그만큼 영양소의 세포내 유입이 적어질 수 있다. 정상 수준의 소금기가 몸에 필수적인 이유이다.

나트륨이 부족하거나 과잉인 경우, 여러가지 부작용이 나타난다. 심한 설사, 구토, 땀을 많이 흘린 경우나 부신피질 기능부전으로 인해 나트륨 농도가 저하되면 저 나트륨혈증이 나타난다. 무기력, 식욕부진, 메스꺼움, 설사, 두통, 근육경련 등이다. 심하면 혼수상태, 사망에 이를 수 있다.

성인과 고령자의 인체 구성 성분 변화 추이

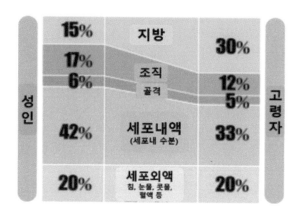

반면, 염소^{Cl}는 가스 형태로 수돗물의 위생처리를 위해 물에 첨가되는 성분인데, 주로 소금의 형태로 나트륨과 함께 섭취된다. 체내에서는 이온상태로 존재하며 세포외액에 존재하는 가장 중요한 음이온이다. 88%가 세포외액에, 12%는 세포내액에 존재한다. 염소는 비교적 많은 양이 위액중에 존재하며 위산^{HCL}의 구성 성분이 된다.

염소이온은 나트륨, 칼륨과 함께 소장에서 거의 완전히 흡수되며 신장을 통해 배출되고 일부는 땀으로 배출된다.

염소는 몸속에서 아주 중요한 작용을 한다. 세포외액의 핵심 음이온인 염소는 양이온인 나트륨과 함께 존재하면서, 체액과 전해질의 균형을 유지하는데 필수적 역할을 한다. 산을 형성하여 몸속 산-염기 평형을 유지한다. 위에서는 수소이온과 결합하여 염산^{HCL}을 만들어 위액을 강산성으로 유지시켜 살균작용을 하고 단백질을 소화한다. 대사과정에서 적혈구의 전기적 중성을 유지하는데 중요한 역할을 한다. 백혈구 세포가 외부의 이물질세포를 파괴하는 면역반응에도 염소가 관여한다.

몸속에서 염소가 부족하거나 넘치면 부작용이 나타난다. 식사를 통해 소금형태로 많이 섭취하기 때문에 거의 부족하지는 않다. 1970년대 염소(염분)가 결핍된 이유식을 섭취한 유아들에게서 극심한 경련, 성장지연, 식욕부진, 무기력, 쇠약 등의 증상이 나타난 적이 있다.

반면, 염소의 과잉섭취로 체액내 염소의 보유량이 증가하면 균형을 이루기 위해 양이온인 나트륨이온의 보유량도 증가하여 고혈압이 나타날 수 있다.

칼륨potassium, K+

칼륨은 무기질 중 칼슘, 인 다음으로 체내에 많이 존재하며 나트륨의 두배 정도이다. 성인의 체내에 약 210g(체중 60kg) 정도이다. 칼륨은 나트륨과 반대로 세포내액의 주요 양이온으로 체내 칼륨의 95~98%가 세포내액에 존재한다.

칼륨의 흡수율은 매우 높다. 섭취한 양의 90%를 소장에서 단순확산, 능동수송으로 흡수한다. 음식으로 섭취한 칼륨의 대부분 85~90%는 소변으로 배출된다. 신장은 칼륨의 체내균형을 유지하는데 관여하는 주된 기관이다. 알도스테론은 신장에서 칼륨 배출량을 증가시켜 칼륨의 내적 항상성을 유지하는데 핵심 역할을 한다.

칼륨 성분도 역시 몸속 삼투압 유지와 수분평형을 조절한다. 칼륨이온은 몸속에서 산-염기 평형에 깊숙히 관여한다. 신경자극 전달 및 근육수축에서 칼륨은 나트륨과 함께 핵심 역할을 한다. 특히 심장근육의 박동은 혈중 칼륨농도에 예민하게 반응한다. 칼륨 수준을 적절히 유지해야 심장박동이 원활해진다.

글리코겐과 단백질의 합성에서 칼륨이 핵심이다. 세포에서 글리코겐과 단백질이 합성될 때 세포내액을 함께 저장하여 농도를 일정수준으로 유지해준다.

지속적인 구토, 설사, 탈수, 당뇨병성 산독증, 심한 화상, 알콜중독증, 신경성 식욕부진, 영양불량, 이뇨제 장기복용 등에서 칼륨결핍이 나타난다. 혈액에서 저칼륨으로 나타나면, 식욕부진, 근육약화, 근육경련, 마비, 부정맥이 초래되고 심하면 정신착란, 의식불명에 이를 수 있다.

8장

치매 질환에 작용하는 씨놀

치매의 증상과 원인

치매의 증상과 원인

치매의 원인은 매우 많다. 베타-아밀로이드 단백질의 축적, 단백질의 과인화, 뇌 세포의 산화 스트레스, 뇌 세포 염증, 지질 및 당류 대사 이상 및 대뇌의 혈류공급 부족 등 다양하다.

노인성 치매와 파킨슨병은 21세기의 가장 난치성 질병이다. 치매 환자 수는 매년 증가세에 있다. 2040년도에 이르면 국내에서만 400여만 명에 이를 것으로 추산한다.

치매의 경우, 겉보기에는 건강에 보이지만, 사고와 기억력은 사라지는 사람이 있다. 그러나, 아무도 환자의 뇌속 변화를 알아차리지 못하며, 아직 알 수도 없다. 치매에 대한 고통은 아는 사람만 아는 난치 질병이다. 정상적으로 생활해오던 사람이 뇌속 단백질 변화로 인해 이전보다 전반적으로 인지기능이 저하된다. 한 집안 식구를 못알아보는 등 일상생활에 상당한 지장이 나타나는 상태가 치매이다. 심장병, 암, 뇌졸중과 함께 '4대 주요 사망 원인'이지만, 최근에는 치매가 가장 무서운 질환이다. 가족까지 고통스럽게 하기에 많은 사람이 '가장 피하고 싶은 질병'이다.

노인 남성 치매 : 자꾸 깜박깜박하고 기억력이 떨어진다

우선 신체적 노화로 인해 일어나는 기억력 저하 현상이 치매이다. 새로운 것을 기억하거나 저장된 기억을 꺼내는 속도가 느려지는 현상도 그것이다. 단순히 기억력이 떨어진다고 모두 치매라고 할 수는 없지만, 일상적으로 가던 장소나 일상적으로 행하던 일, 그리고 바로 최근의 일을 기억하지 못한다면 치매일 가능성이 높다. 시간이 갈수록 건망증이 심해지거나, 판단력이 떨어지는 경우도 마찬가지다. 단순한 기억 장애도 치매로 발전할 수 있다.

건망증과 치매는 차이가 있다 ————————

건망증은 일의 세세한 부분을 잊었다가 귀띔해주면 금방 기억이 난다. 본인의 기억력에 문제가 있다는 것을 인정하는 경우에 해당한다. 반면 치매는 일 자체를 잊는 일이 많고 귀띔을 해주어도 전혀 기억하지 못하는 경우에 해당한다. 물론, 본인도 기억력에 문제가 있음을 모르거나, 인정하지 않고 우기는 경우가 모두 치매에 해당한다. 치매는 병 이름 아닌, '증상'이다.

치매 가운데, 가장 많은 경우가 퇴행성 뇌질환인 알츠하이머성 치매이다. 전체 치매의 70% 정도라고 한다. 그 다음으로 뇌출혈이나 뇌졸중 등 뇌혈관 질환으로 인한 혈관성 치매가 20~30% 정도로 분류하지만, 이는 어디까지나 의학적 편의성에 따른 분류이다. 아직 분명하게 정의된 것은 없다.

알츠하이머 증상은 치매의 일종

알츠하이머 증상은 치매의 일종 ───────────

치매의 가장 흔한 원인 질환인 알츠하이머병은 뇌 세포 퇴화가 진행돼 치매 증상을 일으키는 상태이다. 현재까지 알려진 알츠하이머병의 위험 인자로는 유전적 요인, 운동부족, 고지방, 고열량 식사, 만성질환(고혈압, 당뇨, 고지혈증, 우울증 등), 불면증, 수면제 과다복용 등으로 알려져 있다.

알츠하이머병은 최근 일어난 일을 기억하지 못하는 것이 가장 뚜렷한 특징이다. 초기 알츠하이머병의 95% 이상은 65세 이후에 발병한다. 가족적 요인으로 40~50세에 발병하는 경우도 있다.

정상적인 뇌

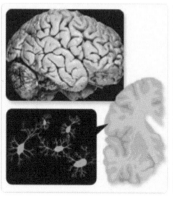

알츠하이머 환자의 뇌

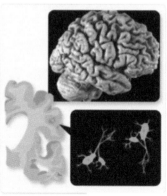

자료 : 보건복지부

치매가 있는 사람의 뇌는 비교적 줄어들면서 빈공간이 넓어진 모습이다.
정상인 신경세포(왼쪽)는 비교적 고르게 퍼져 있지만, 알츠하이머
환자의 뇌 신경세포는 비교적 느슨한 모양새이다.

알츠하이머병의 발병에는 유전자 'APOE4 gene'가 중요하게 작용한다고 알려져 있다. 이 유전자가 없는 경우 알츠하이머병에 걸릴 확률은 9% 정도이다. 이 유전자가 1개인 경우 30%, 2개인 경우 80%로 높아진다. 그러나, 이 유전자가 있다고 해서 무조건 알츠하이머병에 걸리는 것은 아니다. 이 유전자가 있는 사람이 알츠하이머병에 걸리는 경우 질병 진행속도가 매우 빠르다는 보고가 있다.

알츠하이머성 치매는 가장 흔한 퇴행성 뇌질환이다. 여배우 손예진이 주연한 '내 머리속의 지우개'와 같은 영화에서도 치매

를 소재로 다룰 만큼 보편화되어 있다. 1907년 독일의 정신과 의사인 알로이스 알츠하이머Alois Alzheimer에 의해 최초로 보고되었다. 혈관성 치매와는 달리 매우 서서히 발명하며 점진적으로 진행된다. 현미경으로 알츠하이머병 환자의 뇌 조직을 검사하면 뇌세포의 신경세포가 소실되어 뇌를 전반적으로 위축되게 한다.

알츠하이머병은 완치되지 않는다

이 질환의 치료 또한 증상의 진행을 늦추는 정도이지 완치는 드물다고 한다. 따라서 예방이 무엇보다 중요하다. 일상적 예방법은 크게 수면, 식사, 운동 관리가 있다. 수면의 경우 주간이 아닌 야간에 숙면을 취하는 것이 중요하다. 운동은 발병 위험도를 40% 가량 낮추는 것으로 알려져 있다. 1주일 5회 이상 30분간 땀이 나고 숨이 차오르는 정도의 강도로 운동하는 것이 효과적이다. 식사는 단백질이 많은 영양 풍부한 식품으로 다양하게 섭취하는 것이 좋으며 채소와 견과류, 발효식품 등이 효과적이다.

알츠하이머성 치매 진행과정

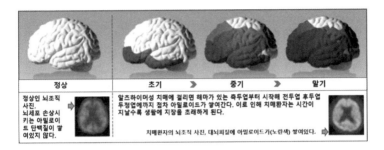

| 정상 | 초기 ▶ | 중기 ▶ | 말기 |

정상인 뇌조직 사진. 뇌세포 손상시키는 아밀로이드 단백질이 쌓여있지 않다.

알츠하이머 치매에 걸리면 해마가 있는 측두엽부터 시작해 전두엽 후두엽 두정엽에까지 점차 아밀로이드가 쌓여간다. 이로 인해 치매환자는 시간이 지날수록 생활에 지장을 초래하게 된다.

치매환자의 뇌조직 사진, 대뇌피질에 아밀로이드가(노란색) 쌓여있다.

사진 : 한국치매협회

사이언스 온라인판에는 최근 인간이 잠을 자는 근본적인 목적이 뇌에 쌓인 독성 물질을 청소하기 위함이라고 밝혔다. 미국 뉴욕 로체스터대학 연구팀에 따르면 수면 중에는 '글림프 시스템'으로 불리는 뇌의 독성물질을 제거하는 활동이 이뤄진다. 이로 인해 알츠하이머성 치매와 같은 신경 질환을 유발하는 아밀로이드 등의 독성 물질이 제거된다고 알려져 있다.

연구팀은 또한 "인간의 뇌는 잠잘 때와 깨어 있을 때 기능이 다르다"며 "수면 중 뇌 세포는 60%나 줄어들기 때문에 노폐물 제거 과정이 깨어 있을 때보다 10배 가까이 빠르게 이뤄진다"고 말했다.

혈관성 치매와
알츠하이머 치매의 차이점

혈관성 치매와 알츠하이머 치매(알츠하이머병)의 차이점

혈관성 치매는 뇌졸중(뇌출혈, 뇌경색)과 같은 뇌혈관 질환으로 뇌 조직이 손상된 이후, 점차 뇌기능이 떨어지면서 발병한다. 뇌졸중 이후 약 20% 환자에서 혈관성 치매가 나타난다.

혈관성 치매는 알츠하이머 치매와는 달리 증상이 비교적 급격하게 발병한다. 증상 악화가 계단식으로 뚜렷하게 나타나는 양상을 보인다. 또한 기억력 저하 등 인지 장애와 함께 발음(언어) 장애, 안면 마비, 균형 장애, 보행 장애 등 신경학적인 징후가 나타나는 경우가 많다.

혈관성 치매의 치료는 일반적으로 혈소판 응집 억제제나 아스피린 등의 항혈액 응고제나 혈액 순환제를 많이 사용한다. 그리고 인지 기능저하를 위한 치료법으로는 신경전달 물질인 아세틸콜린 분해효소 억제제와 NMDA 수용체 길항제를 사용한다. NMDA는 세포의 사멸과 신호전달에 관여한다.

혈관성 치매를 예방하려면 고혈압, 당뇨, 고지혈증, 비만, 흡연, 심장질환 등 뇌혈관 질환의 발생 또는 약화에 영향을 미치는 요인에 대한 관리가 중요하다. 고혈압이 있으면 뇌졸중 위험도가 5배, 당뇨가 있는 경우 2~3배, 심장질환이 있는 경우 적게는 2배에서 많게는 17배까지 높아질 수 있다.

2030년 치매환자가 1억명에 근접

2030년 치매 환자가 1억명에 근접 ────────

세계보건기구의 통계에 따르면 현재 전세계에 3650여만 명의 알츠하이머 환자가 있으며, 2030년에는 2~3배 이상에 이를 것으로 추산한다. 일부에선 치매 환자가 1억명에 근접한다는 보고도 있다.

홍콩에는 2015년 기준 약 7만여명의 알츠하이머병 환자가 있다. 수많은 유명 인사가 알츠하이머병을 앓았다. 예를 들어 '광섬유의 아버지' 까오쿤 교수, 전 미국대통령 로널드 레이건 등이다.

현재 홍콩에는 65세 이상의 사람 중 100명 당 5~8명의 알

치매유형별분포

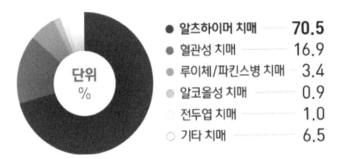

● 알츠하이머 치매		**70.5**
● 혈관성 치매		16.9
● 루이체/파킨스병 치매		3.4
◔ 알코올성 치매		0.9
○ 전두엽 치매		1.0
○ 기타 치매		6.5

단위 %

통계 : 2012년 보건복지부 역학조사 및 홍보사진

츠하이머병 환자가 있다고 보고되었다. 80세 이상의 사람 중에는 거의 10명 2~3명 꼴로 알츠하이머병 환자가 있다고 한다. 홍콩 인구의 노령화 속도를 감안하면 2050년에는 환자의 수가 33만여 명에 이른다고 한다.

치매 예방에 효과적인
씨놀의 작용

치매 예방에 효과적인 씨놀의 작용 ─────────

　씨놀의 치매 치료가 점차 의학적으로 가능성을 높이고 있다. 미국 신경과학자인 닥터 미쉘칸즈^{Michael Ganz}의 주도하에 치료 환자의 인지기능을 관찰했다. 3개월간 씨놀 투입 후에 변화되는 양상에 대한 보고이다. 118명(남자 35명 여자 83명)을 대상으로 시행했다. 이 결과 80%의 환자에게서 진행이 멈추거나 개선된 것으로 나타났다. 타인의 도움을 받아야 일상생활이 가능했던 12명의 환자 중 11명이 도움 없이 일상생활이 가능할 정도로 향상되었다고 한다. 이어 일상생활에서 약간의 문제가 있었던 5명의 환자는 투여 후 거의 정상인처럼 인지기능이 개선되었다.

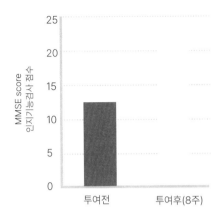

씨놀의 인지기능개선

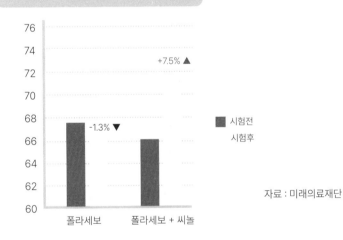

뇌혈류를 촉진하는 씨놀 효과

+7.5% ▲

-1.3% ▼

■ 시험전
　시험후

자료 : 미래의료재단

위약(플라세보)을 섭취한 그룹과 씨놀을 섞어 섭취한 그룹의 섭취 전후 경동맥 혈류 속도를 측정했다. 투여 이후 혈류속도가 플라세보 투여군에서는 약간 느려지는데 비해, 씨놀 투여군에서는 명백하게 배 이상 빨라지고 있다. 뇌 혈류량이 많고 속도가 빠르다는 것은 뇌의 대사가 활발하다는 것으로 뇌혈관성 치매가 발생하기 쉽지 않은 상태임을 나타낸다.

신현철 박사는 "씨놀은 혈관성 치매를 저지하는데 도움을 준다. 임상 결과 확인된 내용"이라면서 "씨놀이 가지는 항산화 효과와 뇌 혈류증진 효과, 콜레스테롤과 중성지방의 억제효과, 항염증에 대한 강력한 작용에 따른 것이라 설명할 수 있다"고 말했다. 뇌에 들어가는 좌우 경동맥의 혈류 속도는 뇌로 들어가는 혈액의 속도로 판단할 수 있다. 경동맥의 혈류 속도가 빠를수록 혈류가 순조롭고 혈관의 탄력성이 높다고 할 수 있다. 다시 말해 씨놀을 섭취하면, 혈관이 유연해지고 뇌 혈류속도를 빠르게 하면서, 뇌 대사를 활발하게 만들어 혈관성 치매의 발생을 억제한다는 것이다.

치명적 뇌졸중을 예방하는
천연 씨놀

치명적 뇌졸중을 예방하는 천연 씨놀 ──────────

알츠하이머 치매는 아직 발병 원인이 정확하게 규명되지 않았다. 다만, 베타-아밀로이드라는 독성 단백질의 생성이 원인이라는 정도는 학계에 보고된 바 있다. 이 베타-아밀로이드의 생성이 씨놀의 약리작용으로 감소하는게 확인되었다. 동물실험을 통해서다. 실험을 통해 씨놀은 알츠하이머 치매의 원인으로 알려진 베타-아밀로이드의 생성을 막거나, 그 독성으로부터 뇌를 지킨다는 것이 규명되었다.

한밭대학교 이봉호 교수에 따르면, 씨놀을 통한 베타-아밀로이드 전구물질 차단에 대한 Beta-amyloid precursor protein 연구를 진행, 신경 독성과 베타-아밀로이드의 근원인 베타-아밀로이드 전구단백질이 씨놀에 의해 억제되었다는 연구결과를 냈다. 다음은 뇌졸중, 즉 중풍과 씨놀의 작용이다.

뇌졸중과 씨놀

뇌졸중은 '뇌혈관 장애로 인해 국소 신경학적 장애 또는 의식장애가 급속 발생하여, 장시간 지속하는 뇌질환이다. 뇌졸중에는 2가지 유형이 있다. 혈전(피떡어리)이 뇌혈관을 막아 혈류를 막는 뇌경색과, 만성 혹은 급성 고혈압으로 뇌혈관이 파열되는 뇌출혈이다. 과거에는 고혈압 뇌출혈에 의한 뇌졸중의 발생율이 높았으나 근래에 와서 뇌경색에 의한 뇌졸중 발병이 현격히 증가하는 추세이다. 그 이유 중 하나는 혈류가 막혀도 증상이 느끼지 못하기 때문이다. 고혈압에 대한 사전관리 중요성이 널리 알려지면서 많은 사람들이 고혈압에 대해 적극적으로 대처하고 있으나, 동맥경화와 혈전은 80%까지 혈관이 막혀도 증상을 느끼지 못해 예방이 쉽지 않다.

뇌경색의 경우 병원 진단을 통해서만 알아차리는 경우가 대부분이다. 즉, 경동맥 검사나 MRI 같은 정밀진단으로만 발견할 수 있다. 혈액 검사에서 나타나는 혈액의 중성지방과 콜레스테롤 수치를 통해 보는 뇌 경동맥 검사, MRI 촬영을 통한 뇌 혈관사진을 통해서만 그 상태를 알 수 있다. 이 때문에 병원에 자주 가지 못하는 사람이나 가기를 꺼리는 사람들은 증상을 느끼지 못하다가 갑작스럽게 뇌경색에 빠질 위험이 매우 높다. 뇌혈관은 나이가 들어가면서 동맥에 기름덩어리 등이 쌓이면서 뇌혈관이 좁아진다.

그렇기 때문에 50세 이후 사람들은 증상이 없어도 늘상 관리해야 한다. 뇌졸중에 일단 걸리면 18%는 사망하고 9% 정도만 회복되며 나머지 73%는 심한 장애가 남는다. 뇌졸중이란 이처럼 무서운 질병이다. 뇌졸중 관리의 2가지 핵심은 혈액의 지질상태, 즉 콜레스테롤과 중성지방 수치가 늘 정상범위 안에 있도록 관리하는 것이다.

첫째, 혈액에 지질 함유 수치가 높아지면 혈관이 지방에 침착될 가능성이 높아지고 침착된 지방은 염증을 일으켜 더욱 동맥을 두껍게 한다.

둘째, 따라서 혈관 세포에 상처를 내고 염증을 일으키는 활성산소를 잡는 항산화 능력이 높은 상태로 유지되어야 한다.

우리 몸의 항산화 능력은 40대 이후부터 서서히 떨어진다. 항산화력을 높이기 위한 항산화 비타민 A, C, E와 항산화 미네랄 아연, 구리, 마그네슘, 셀레늄 등이 식사에서 부족하지 않도록 관리해야 한다. 과일이나 야채 등의 식물들이 햇빛 자외선의 활성

산소를 견디기 위하여 만들어내는 화이토케미컬

　　Phyto Chemical, 즉 컬러 푸드의 섭취를 늘리는게 중요하다. 하지만, 이미 동맥경화가 많이 진행된 사람이나 뇌졸중 상태에 있는 사람은 음식의 영양소로만 치료하기가 쉽지 않다.

　　따라서 동맥경화의 진행과 뇌졸중의 재발을 막고 재활에 성공하기 위해서는 씨놀과 같은 부작용 없는 강력한 천연 활성산소 억제제와 항염증 물질이 반드시 필요하게 된다.

　　일반음식 속에 함유된 화이토케미컬(폴리페놀류)이나 비타민 C 등 영양소들은 수용성 물질들이 많다. 수용성 물질은 지질로 둘러쌓인 혈뇌장벽(Blood-Brain-Barrier, BBB)을 뚫고 뇌 혈관세포까지 도달하는 데에 한계가 있다. 반면에 씨놀에 함유된 폴리페놀 가운데 40%정도가 뇌 혈관세포까지 도달할 수 있는 지용성 폴리페놀로 이뤄져 있다. 이들은 아울러 뇌 혈관세포의 내피탄력도와 말초혈관의 확장력을 높인다.

　　특히 씨놀은 혈관 건강과 혈액의 질을 개선하는데 탁월한 효과가 있다는 연구결과가 있다. 씨놀은 뇌졸중의 예방과 재활에 매우 유용한 천연 물질이다. 뇌졸중이 찾아오는 데에는 경고가 없다. 급작스럽게 찾아오는 경우와 몸에 잦은 경고가 나타나는 경우다. 아무 자각 증상없이 찾아오는 뇌졸중(중풍)인 경우에는 지나치게 건강을 과신하는 경우에 많이 발생한다고 한다. 이런 사람들은 오직 혈액검사 수치가 정상이라는 말만 믿고있다가 혈관이 세월에 따라 점점 좁아지고 있음을 인지하지 못한다는 것.

뇌혈관 관리는 가능한 빨리 시작하는 것이 좋다. 빨리하면 할수록 뇌혈관의 노화를 막고 뇌혈관이 건강하면 뇌세포가 건강하게 활동할 수 있다. 뇌졸중 환자 가운데, 씨놀을 복용하고 4개월만에 혼자 걷고 6개월만에 혼자 생활할 수 있는 회복된 환자가 씨놀 연구팀에 보고되고 있다.

다음은 중앙일보 건강 특집에서 씨놀을 소개한 기사를 인용한다.(2012년 6월 29일자)

해조류에서 치매 치료 효과가 탁월한 천연물질을 추출했다는 연구결과가 나왔다. 미래의료재단 미래CNS센터 신현철 박사는 "다시마의 일종인 감태에 함유된 '에클로탄닌(Ecklotannin)' 성분을 치매환자에게 투여한 결과 정상적인 생활이 가능할 정도로 개선됐다"고 밝혔다. 미래CNS센터는 에클로탄닌을 천연물 신약으로 개발해 약 600조원 규모의 치매 관련 시장에 진출한다는 계획이다. 2030년 무렵 세계 치매환자는 약 1억명에 이를 것으로 추산된다. 예측보다 두 배로 증가한다는 것이다. 국내 65세 이상 인구 10명 중 1명이 치매라고 한다. 치매는 뇌 세포가 파괴되어 발병한다. 치매의 주요 원인은 독성 단백질인 베타-아밀로이드다. 뇌에 축적돼 뇌세포를 파괴한다. 점차 기억력과 인지능력이 떨어진다. 현재까지 치매 치료는 약물을 이용해 병의 진행

속도를 늦추는 수준에 그친다. 완치법이 없다. 미래CNS센터 관계자는 "에클로탄닌은 독성 단백질인 베타아밀로이드의 생성을 막고 이를 제거해 치매를 치료할 수 있다"고 말했다.

미래CNS센터는 한국·미국·중국에서 총 118명의 치매 환자를 대상으로 진행한 임상연구에서 에클로탄닌의 치매 치료 효과를 발견했다고 밝혔다. 신현철 박사는 "약 85%의 환자가 부작용 없이 인지·감정·행동 기능의 뚜렷한 개선 효과를 보였다"고 말했다. 신 박사는 "천연물질이어서 간독성·구토·어지럼증 같은 기존 치매 치료제의 부작용도 없었다"며 "하지만 중증 치매환자(8명)의 치료 효과는 미미했다"고 덧붙였다. 증상이 많이 진행된 환자에게는 적용이 힘들다는 얘기다.

이 연구 결과는 29일 한국뉴욕주립대학교와 미래CNS센터가 공동 주최하고 한국과학기술정보연구원(KISTI)이 후원하는 '중추신경계질환 치료제의 새로운 패러다임' 심포지엄에서 발표됐다. 감태의 에클로탄닌 성분은 약 10년 전 국내 기업에 의해 발견됐다. 이후 2008년 유효성과 안전성을 입증해 미국 식품의약국(FDA)에 건강기능식품 신소재로 인증 받았다. 이후 의료계 등 관련 학계에서 에클로탄닌 성분의 뇌·심장 질환 등에 미치는 영향을 연구하고 있다. 미래CNS센터는 에클로탄닌을 국내외에서 천연물 신약으로 개발한다는 계획이다.

9장

혈뇌장벽(BBB)과 씨놀의 효능

뇌속 검문소 혈뇌장벽

뇌속 검문소 혈뇌장벽

혈뇌장벽(뇌혈관장벽)은 색소, 약물, 독물 등 이물질이 뇌 조직으로 들어오는 것을 막아 뇌를 보호하는 관문격이다. 뇌 모세혈관 내피세포가 혈뇌장벽에 밀착 결합하고 약물이나 대사 산물이 함부로 들어올 수 없게 한다. 혈뇌장벽을 구성하는 물질은 대부분 인지질로 이루어져 있다.

혈뇌장벽은 선택적이다. 대뇌의 또 다른 보호기전으로, 선택적인 장벽이라는 특성이 있다. 어떤 물질은 통과하지만 어떤 물질은 통과하지 못하도록 밀착되어 있다. 포도당, 필수아미노산, 전해질 등은 내피세포를 통해 수동적으로 통과하지만 혈중

대사산물이나 독소, 약물은 뇌세포로 들어오지 못하게 막고 있다. 이런 이유 때문에 몸에 다른 곳에 염증이 생기거나, 중독 현상 등 여러 가지 질병이 발생하여도 뇌까지 퍼지는 일은 매우 드물다. 그러나 물, 공기, 이산화탄소 등 생명활동 성분은 자유롭게 장벽을 통과할 수 있다. 알코올, 니코틴(담배), 마취제(의료용) 등이 뇌에 영향을 미치는 이유는 이 장벽을 통과할 수 있기 때문이다. 매독을 일으키는 병원체, 뇌염 바이러스 등은 침범이 가능하다. 전신에서 병증이 심하면 뇌에도 침범이 가능하다. 또 어떤 이유로 이 장벽이 허물어지면 다발성 경화증, 치매 질환으로 발전할 수 있다.

혈뇌장벽은 대뇌 안의 환경을 일정하게 유지한다. 운동이나 식사 후 혈중 호르몬, 아미노산, 전해질의 농도가 변할 때 이 장벽이 없다면 대뇌로 물질들이 유입되어 신경전달물질로 작용할 수 있다. 뇌 속에 들어온 어떤 전해질들로 인해 신경세포들이 제멋대로 흥분할 수 있다. 또한, 이로 인해, 치매 약물의 유입도 막아 뇌 세포로 약물을 투약하는데 큰 어려움이 있다. 현재 뇌질환 전문의들이 가장 어려워 하는 부분이 이것이다.

100만년 단위로 진화해 온 현생인류의 화학적 방어 체계는 대단하다. 다른 동물들도 마찬가지다. 가령, 한 천재 과학자가 치매를 뉴런 단위에서 치료하는 기적의 약물을 만들었다고 가정하자. 이 약물이 뉴런 하나하나에 효과가 있더라도 정작 뇌에 도달하지 못하면 헛것이다. 그렇다고 두개골을 여는 수술로 뇌에 직접 약물을 넣거나, 척수에 주사바늘을 꽂아 뇌척수액을 통해 약물을 전달하는 것은 매우 위험하다. 몸에 좋다는 약물은 효능에만 신경쓸 일이 아니다. 체내에서 해당 부위에 가장 효율적으로 전달되도록 개발되어야 한다. 소화기관 수술 등으로 경구 복용이 불가능하다면 최소한 혈관주사로 해당 부위에 전달되어야 한다.

그러나, 뇌의 경우엔 다르다. 혈뇌장벽이 촘촘하고 뇌 세포막은 인지질로 이뤄져 미세 지용성 물질 정도만 통과되도록 되어 있다. 이때문에 약물에 작은 나노막을 씌워 고장난 뇌 세포에 직접 약물을 전달하는 연구도 진행 중이다.

한편, 최근 이런 연구도 보고됐다. 알츠하이머성 치매 원인이 혈뇌장벽의 누출이라는 연구결과가 그것이다. 영국의 의학전문지 '네이처 메디신'Nature Medicine 2019년 1월14일자에 실린 내용이다.

미국 서던캘리포니아 의대 신경유전자연구소장 베리슬라프 즐로코비치 박사 연구팀의 실험 결과다. 인지기능이 정상인 노인 161명을 대상으로 5년에 걸쳐 각종 테스트를 통해 인지기능을 평가하면서 뇌 영상 검사와 뇌척수액 분석을 통해 혈뇌장벽의 투과성permeability을 측정했다. 이 결과 인지기능 저하와 혈뇌장벽 누출 사이에 밀접한 연관이 있는 것으로 나타났다. 특히 뇌의 기억 중추인 해마^{hippocampus}로 들어가는 말초혈관의 누출을 살펴봤다. 그 결과 기억력이 많이 떨어지는 사람일수록 말초혈관의 혈뇌장벽 누출 정도가 가장 심한 것으로 밝혀졌다. 이는 치매를 유발하는 가장 큰 요인으로 알려진 베타-아밀로이드와 타우 등 두 가지 뇌 단백질 이상과는 관련이 없다는 것을 나타낸다. 이 두 가지 비정상 뇌 단백질이 있든 없든, 인지기능 저하의 정도는 혈뇌장벽 누출의 정도와 일치했다는 것이다.

혈뇌장벽 누출은 완전히 별개의 독립적인 과정이거나, 치매의 아주 초기 단계에서 나타나는 현상일 수 있다고 연구팀은 설명했다. 지금까지 치매는 뇌 신경세포 표면에 있는 단백질인 베타-아밀로이드가 응집해 플라크를 형성하고 뇌 신경세포 안에 있는 타우 단백질이 잘못 접혀^{misfold} 서로 엉키면서 신경세포를 죽임으로써 발생하는 것으로 알려져 있다.

그럼에도, 이 두 가지 비정상 뇌 단백질에 대한 연구는 계속될 것이다. 즐로코비치 박사는 "치매의 성공적인 치료는 결국 약물의 혼합 투여에 있을 수 있다"고 말했다. 이는 씨놀 같은 BBB를 통과하는 약물의 투여가 보다 효과적일 수 있다는 점을 시사한 것이다. 씨놀 연구자들에게는 즐로코비치의 연구 성과는 매우 주목할만하다.

치매 파킨슨병 정복의 핵심은 무엇인가

BBB는 뇌에서 외부 이 물질의 침입을 막아주는 방어벽으로 기능한다. 뇌 세포의 정상을 유지하는데 도움을 주겠지만 병리적 상황에서 치료에 어려움을 주는 장애물로도 작용한다는 것은 앞에서 설명했다. 뇌 질환의 치료 목적이나 상태 유지를 위한 목적의 치료제들 역시 BBB에 가로막히고 있다. 95%의 약물이 BBB를 통과하는 비율이 매우 낮고 뇌에서 효과적으로 작용하지 못하고 있다. 이 때문에 다양한 뇌 질환 환자들에게 약물 치료에서 가질 수 있는 선택권이 제한되어 있다.

뇌 질환의 치료를 위한 사용할 수 있는 방법들 중 한 가지는 지용성의 약물을 만드는 것이다. 지용성 물질은 인지질 2중막 구조의 뇌 세포막을 통과하는데 용이하다. 하지만, 이는 뇌 뿐 아니라 다른 장기에서도 적용되기 때문에 다른 장기의 부작용도 만만찮다. 또한 지용성 물질이 내피세포의 세포막 통과에 이점이 있지만 빠르게 배출되는 단점도 있다. 이처럼 BBB로 인해 많은 뇌질환 환자들의 치료에 어려움을 겪고 있다. 아직까지 BBB를 통과하는 것으로 알려진 약물은 거의 없다고 봐야한다.

최근 미국의 바이오젠과 스위스 취리히대 공동 연구팀이 개발한 알츠하이머 항체 치료제 '아두카누맙'이 임상3상을 진행하고 있다. 이 약물은 알츠하이머 치매 원인으로 알려진 입체분자 구조에 결합하여 파괴하고 인지능력 감퇴를 저지하는 효과를 보였다.

국내에서도 활발한 연구가 진행 중이다. 일동제약은 거대분자 세포 내 전송기술MITT를 이용한 파킨슨병 치료제 개발에 착수했다. 바이오벤처 셀리버리의 원천 기술인 MITT는 거대분자를 세포 내로 이동시키는 거대분자 전송 도메인(MTD, Macromolecule Transduction Domain)에 치료 약물이나 펩타이드, 항체 등을 연결해 세포 안으로 전달하는 방법이다.

뇌세포에 빠르게 흡수되는 씨놀

뇌세포에 빠르게 흡수되는 씨놀 ──────────

이미 언급하였듯이 폴리페놀은 크게 수용성과 지용성 물질로 구분된다. 인체의 세포막은 주로 오메가-6와 오메가 −3 같은 불포화 지방산으로 이루어져 있다. 그런데 녹차의 카테킨이나 와인에 많이 함유된 레스베라트롤, 과일류에 많은 안토시아닌 등 폴리페놀은 주로 수용성 물질로 세포에 도달하기 이전에 파괴되기 쉬운 특성이 있다. 음식으로 섭취했을 때 물분자와 만나 파괴되는 가수분해형이 대부분이다. 폴리페놀이 원하는 표적 세포까지 도달하기 쉽지 않은 이유이다.

씨놀은 수용성과 지용성 폴리페놀을 모두 함유하고 있어서 원하는 세포까지 제대로 도달한다. 특히 뇌 신경세포는 주로 지방질로 이뤄져 있기 때문에 수용성보다는 지용성 폴리페놀이 유리하다.

씨놀 SEANOL	녹차(Green tea), 포도씨(Grape seed), 블루베리 추출물(Bluebelly extract)
수용성(water soluble) : 6	수용성(water soluble)
지용성(fat soluble) : 4	비 지용성(not fat soluble)
뇌를 비롯한 인체 세포에 쉽게 흡수된다	우리 몸속 세포에 도달하기 이전에 이미 구조가 파괴된다.

뇌는 우리 몸속 기관 가운데 산소와 영양분을 가장 많이 소비한다. 심장에서 뿜어져 나온 혈액 중 20%는 곧바로 뇌로 올라갈 정도이다. 그런데 뇌속 모세혈관의 혈액은 신경세포와 직접 접촉할 수 없다. 뇌에는 아교세포(glial cell, 뇌교세포)라는 세포가 매우 조밀하게 혈관을 둘러싸고 혈액이 함부로 통과하지 못하게 막고 있기 때문이다. 바로 혈뇌장벽이다.

　혈액과 '뇌척수액' 간의 물질교환을 제한하는 '혈액-뇌척수액 장벽'Blood-CSF-Barrier도 넓은 의미로 BBB라고 볼 수 있다. 뇌척수액이란 뇌와 골격 사이를 메우는 액체이다. 뇌와 척수의 신경세포들은 뇌척수액과 직접 맞닿아 산소와 양분을 공급받는다.

전체 양은 150ml 정도로 혈액과 뇌척수액은 끊임없이 순환된다.

혈액이 뇌척수액으로, 뇌척수액이 혈액으로 바뀔 때 물질은 선택적으로 이동한다. 장벽이 물질 이동을 제한하기 때문이다. 혈뇌장벽을 구성하는 물질은 대부분 인지질phospholipid로 되어 있다. 이 때문에 지용성 물질은 통과하나 수용성 물질은 대부분 통과하지 못한다.

그럼 수용성이면서 뇌에 꼭 필요한 물질은 어떻게 할까? 뇌에도 양분이 필요하기 때문에 포도당 등 에너지를 내는 물질을 이동시키는 수단이 존재한다. 뇌속에는 물질이 뇌세포로 자유롭게 드나드는, 장벽 낮은 부위가 있다. 대부분 뇌의 한 가운데 집중돼 있다. 이를 통해 통해 혈액 성분을 검사해 필요한 물질만 선별적으로 통과시킨다. 송과선, 뇌하수체 등이 이런 기관이다.

이렇듯 뇌의 혈관 구조는 복잡하다. 뇌는 수많은 신경세포들이 복잡한 네트워크를 이루며 기억, 학습, 언어, 사고와 같은 현상을 조절하는 중추이기 때문이다. 뇌 신경세포가 손상되면 정상 생활이 불가능해지고 질병에 걸려 생명을 잃을 수 있다. 따라서 세균이나 병원균이 함부로 침투하지 못하도록 BBB가 있는 것이다. 어떤 물질은 통과하지만 어떤 물질은 통과하지 못하도록 하는 선택적인 방벽이다.

거듭 설명하면, 포도당, 필수아미노산, 전해질 등은 내피세포를 통해 수동적으로 통과하지만 혈중의 대사산물, 독소, 약물은 뇌세포로 들어오지 못하게 막는다. 물, 공기, 이산화탄소와 같은 물질은 자유롭게 장벽을 통과할 수 있다.

그러나, BBB도 완벽한 장치가 아니다. 아기는 BBB가 완성되지 않은 채로 태어나고, 높은 혈압, 저주파와 방사선 또는 감염에 의해 혈액뇌장벽이 열리기도 한다. 알코올, 니코틴 등이나 헤로인, 코카인 등도 BBB를 뚫고 뇌 속으로 쉽게 들어간다. 심지어 뇌염 바이러스나 광견병 바이러스도 BBB를 통과해 질병을 일으킨다. 생존을 위해 만들어진 BBB가 오히려 생존에 방해가 되는 경우도 있다. 종양이 생기면 약물로 치료해야 하지만, 뇌종양은 약물로 치료할 수 없다. BBB가 약물이 전달되지 못하도록 막고 있기 때문이다.

혈뇌장벽에 작용하는 씨놀

혈뇌장벽에 작용하는 씨놀 ────────

감태는 풍부한 단백질, 광물질, 수용성 섬유 및 식이 섬유를 함유하고 있다. 동시에 비타민도 풍부하게 함유하고 있는 천연 바다식물이다. 이 성분이 포함된 식품의 대량 생산이 가능하면 현재 질환을 겪고 있는 환자에게는 획기적인 복음이 될 수 있다. '중추신경계(Central Nervous System)CNS센터'는 감태에서 추출한 씨놀을 연구하면서, 일본과 중국, 홍콩에 확장하여 연구를 수행중이다. 총괄 지휘하는 이행우 박사와 신현철 박사팀은 알츠하이머 및 파킨슨병에 대한 지난 10여년의 연구 결과를 토대로 알츠하이머 및 파킨슨병의 원인으로 6가지를 지목했다.

1. 뇌속 베타-아밀로이드의 축적

2. 뇌세포 중 타우단백질의 과인산화

3. 뇌세포의 산화 스트레스

4. 뇌세포염증

5. 지질 및 당류 대사 이상

6. 뇌혈액 공급 부족

　　연구팀은 '신이 내린 바다의 선물'이란 별명을 가진 해양 폴리페놀 감태에서 분리 정제한 폴리페놀계 항산화 성분 '씨놀을 개발했는데, 파킨슨병 환자에게도 사용됐다. 역시 상당한 증상 완화 효과를 보였다. 환자에게 씨놀 125㎎이 함유된 캡슐을 아침과 저녁에 한 개씩 3개월 단위로 복용하고 증상을 관찰해왔다.

"2011년 1월부터 올해 4월까지 16개월간 미국과 한국 중국에서 중등도 인지장애를 보이는 치매 환자 118명을 대상으로 실시한 임상시험 결과, 씨놀은 85%의 치료효과를 보였다. 시험 대상 10명 중 8~9명이 인지, 환각, 환상, 감정 및 행동 기능 측면에서 정상적인 일상생활을 수행할 수 있을 정도로 회복됐다고 한다. 아울러 시험 기간 중 어떤 부작용도 나타나지 않았다는 것이다. 지금까지 치매 진행 속도를 더디게 하는 것만 있을 뿐, 이렇듯 치매 증상을 눈에 띄게 개선한 약물은 없었다."

이 연구 결과는 2011년 6월 29일 뉴욕주립대학 송도캠퍼스와 미래CNS센터가 공동주최하고 한국과학기술정보연구원 KISTI이 후원한 '중추신경계질환 치료제의 새로운 패러다임' 심포지엄에서도 발표되었다.

파킨슨병과 씨놀의 작용

파킨슨병과 씨놀의 작용 ────────

파킨슨병^{Parkinson's disease}은 주로 떨림, 근육의 강직, 몸동작이 느려지는 등 신체 운동장애로 나타나는 질환이다. 파킨슨병은 대부분 50세 이상 노년층에서 발생하는 질환으로, 연령이 증가할수록 이 병에 걸릴 위험은 점점 커진다. 아직 분명한 통계 자료는 없으나 대략 1,000명 당 1~2명 꼴로 발병하고 있다. 40세 미만의 젊은 나이에 발병하는 경우에는 일부 유전적인 요소가 관련이 되는 것으로 알려져 있지만, 개인의 관리와 노력으로 걸리지 않는 경우도 많다. 파킨슨병은 신경퇴행성 질환의 일종인데, 중뇌 흑색질의 도파민 신경세포가 사멸하면서 발생한다.

아직까지 왜 흑색질 도파민 신경세포의 변성이 일어나는지 확실하게 알려진 것이 없다. 신체 노화라고 치부하면 그만이지만, 반드시 그런 것만도 아니다. 대부분은 가족력이 없이도 발생하며, 환경적 영향이나 독성물질이 원인이 된다는 연구 결과도 있으나, 모든 증상을 설명할 만큼 확실하지 않다. 이처럼 뚜렷한 발병 원인을 모를 때 '특발성(特發性, idiopathic)'이라 말하는데, 파킨슨병 대부분이 이러한 특발성 질환일 수 있다.

대부분의 증상은 서서히 나타난다. 파킨슨병의 증상이 악화되는 속도는 사람마다 차이가 있지만 대개 느리게 진행된다. 증상이 아주 심해져도 파킨슨병 자체로 사망하지는 않는다. 대부분 파킨슨병 증상으로 인한 합병증(폐렴, 욕창, 요로감염 등)이 발생하여 사망한다. 도파민 신경세포의 변성은 서서히 진행하므로 처음에 시작하였던 약물치료가 어느 시점에서는 효과가 떨어져 새로운 문제들이 나타나게 된다.

따라서 파킨슨병의 치료는 한 번 처방으로 끝나는 것이 아니다. 환자의 상태에 따라서 수시로 바꾸어야 한다. 평생 약물의 노예로 전락할 수 밖에 없는 이유이다.

미국의 경우는 10만명당 20명 정도의 유병율을 보인다고 보고되고 있으며 그 숫자가 늘어나고 있는 추세다. 거의 대부분의 환자들에게서 우울증 증세가 나타난다. 필자 견해로는 그 원인이 독극물이나 스트레스 등으로 인한 과도한 활성산소와 염증

악화로 파악된다. 발병 전후 상황을 보면 오랜 기간 정신적인 스트레스에 시달렸거나 충격적인 일을 경험한 이후 발생한 사례가 많았다. 과도한 스트레스는 활성산소를 과도하게 발생시키고 그로 인하여 염증도 심해진다. 파킨슨병 환자에게 씨놀의 작용이 어떻게 미치는지 질환자 소견을 통해 검토해본다.

첫째, 강력한 활성산소 제거와 항염작용으로 인하여 뇌 신경세포의 파괴를 줄일 수 있다.

둘째, 뇌 혈류가 개선되면서 뇌세포의 복원에 필요한 영양소와 산소의 운반능력을 높일 수 있으리라 생각된다.

셋째, 씨놀은 매우 따뜻한 성질의 맑고 강한 에너지를 가지고 있어 정기를 보충하여 전체적인 생명력을 높일 수 있을 것이다.

파킨슨병의 진전 속도를 늦추고 환자의 삶의 질을 개선하는데 분명히 씨놀은 큰 도움이 될 것이다. 만병 근원은 혈류장애와 염증으로 인한 몸속 세포의 변형에 있다. 씨놀은 질병을 자연적으로 치유할 수 있는 천연성분이라고 필자는 판단하고 있다.

뇌세포 재생과 씨놀 효능

뇌세포 재생과 씨놀 효능 ——————————

동물의 기억력 시험에서 씨놀은 탁월한 효능을 보였다. 아무 것도 투여하지 않은 쥐는 학습한 것을 약 60초 정도 기억했다. 반면, 씨놀(AlgalTannin)을 투여한 쥐는 160~220초 동안의 기억력을 보였다.

다양한 실험을 통해 알 수 있는 것은 씨놀의 주요 특성은 강력한 항산화력과 항염증 작용, 그리고 아세틸콜린 레벨의 상승, 알츠하이머형 치매의 원인으로 생각되는 베타-아밀로이드의 생성을 억제한다고 앞에서 설명했다. 필자 경험으로 보면 씨놀을 섭취한 이후 눈에 띄게 집중력과 기억력이 상승했다.

약국뉴스를 전하는 언론사 데일리팜에서는 강남권 학원가 약사들 사이에서 집중력과 기억력 향상에 효과가 좋아 수험생들이 씨놀 제품을 많이 찾는다는 내용이 유명해졌다.

통상 이미 죽어 버린 뇌 신경세포를 되살리는 것은 불가능하다고 알려져 있다. 따라서 뇌세포의 파괴로 인하여 발생되는 치매,파킨슨, 중풍은 치료될 수가 없는 것으로 생각되어졌다. 그러나, 최근 들어 뇌세포 재생이 가능하다는 새로운 이론이 미 하버드 의대 연구진에 의해 발표되었다. 이 내용은 2015년 과학전문지 네이처의 자매지 9월호에 보고되었다. 이에 따르면, 만일 뇌에서도 골수 줄기세포처럼 계속 생성되고 그 줄기세포가 완전히 성장한다면 뇌세포 재생이 가능하다는 것이다. 이에 따르면, 쥐의 뇌 실험에서 새로 생긴 세포가 자라나 파킨슨병의 원인인 도파민을 생성시키는 신경세포로 분화된다는 점이다. 이 세포들은 필요한 위치로 이동하여 신경전달물질을 분비케 함으로써 마침내 증세가 회복된다는 것이다. 놀라운 사실을 보여 준 것이다. 이러한 동물실험의 결과로 보면, 인간 뇌도 죽은 세포들이 계속 재창조 될 가능성을 시사하고 있다. 만일 새로운 줄기세포의 생산이 없다면 인간 신체는 빠른 속도로 노화할 것이다. 인간과 동물은 다르다. 인간의 치매, 파킨슨, 중풍은 왜 치유를 할 수 없는가.

실험 결과를 보면, 죽었거나 손상된 뇌세포가 다시 복구되는 것을 의미하지 않는다. 손상된 세포가 하던 일을 대신할 수 있는 다른 부위에 새롭게 세포가 생성되어 그 기능을 대신할 수 있다는 이야기다. 바로 뇌의 줄기세포 생성론이다. 즉 골수와 같이 줄기세포가 지속적으로 생성되어 손상된 뇌신경을 대체한다는 말이다. 그럴려면 어린 줄기세포가 성장하는 좋은 환경이 만들어져야 한다. 특히 과다 활성산소와 염증환경은 어린줄기세포에게 치명적이다. 또한 치매환자에게 베타-아밀로이드라는 단백질은 면역세포의 표적이 되어 뇌속을 염증환경으로 만들어 버린다. 그러면 씨놀은 뇌신경 세포에 어떠한 영향을 주어야 하는가? 씨놀이 치매, 파킨슨, 중풍의 완화에 도움되는 메커니즘을 설명한다.

첫째, 씨놀은 뇌혈류장벽BBB을 쉽게 통과하여 직접적이고 빠르게 뇌세포에 영향을 줄 수 있다.(이는 앞에서 이미 설명했다)

둘째, 씨놀은 강력한 항산화 작용을 한다. 뇌에서 발생되는 활성산소를 소거하여 줄기세포의 파괴를 저지할 수 있다.

셋째, 씨놀은 강력한 부작용 없는 천연 항염증 작용으로 염증에 의한 세포의 괴사를 저지할 수 있다.

넷째, 씨놀은 치매를 일으키는 직접적인 원인물질인 베타-아밀로이드의 생성과 집적을 억제할 수 있다. 뇌 줄기세포 생성에 도움될 수 있는 특징을 열거해 보았다. 하지만, 뇌속 치료는 한 가지만으로 해결되지 않는다. 특히 퇴행성 뇌질환의 경우 필수 아미노산, 필수 지방산, 필수 비타민과 미네랄 영양성분이 결핍되어 있을 가능성이 있다. 필자는 미국에서 수많은 퇴행성 뇌 질환 환자에게 씨놀 제품을 적용하는 임상실험을 수차례 시행한 바 있다. 기존 약물 치료를 통해 극적으로 치매나 파킨슨 등의 질병이 호전되는 사례가 있는 반면, 반응이 전혀 나타나지 않는 환자도 있었다. 이런 기존 약물치료로 호전되지 않은 환자에게도 씨놀을 통해 호전되었다는 보고를 받기도 한다.

이는 이런 경우이다. 즉 씨놀 섭취의 경우 혈관성 원인에 따른 뇌질환의 경우 거의 대부분 효과를 본다. 다만 다른 요인으로 인한 치매나 파킨슨병의 경우 효과가 개선되기보다는 더 이상 악화하지 않도록 유지시켜준다는 내용일 것이다. 씨놀의 작용 원리상, 씨놀이 뇌혈관 세포로 진입하여 12시간 정도 염증과 활성산소 발생을 억제하면, 퇴행성 뇌질환의 악화를 최소한 막을 수 있다는 것이다.

중추신경계(CNS) 질환의 근원적 치료 _____

　씨놀 연구자들의 주된 관심사는 치매, 파킨슨병, 중풍과 같은 중추신경계(CNS) 질환의 근원적 치료이다. 중추신경계에 작용하는 약물이 효과를 발휘하기 위해서는 일단 혈뇌장벽을 통과해야 한다. 서울대 의대 핵의학과 이윤상 교수팀의 연구에 따르면 씨놀은 장벽을 쉽게 통과하는 것으로 밝혀졌다.

　이 교수팀은 씨놀에 동위원소를 붙여 투약 후 유효성분의 전달경로를 추적 관찰했다. 관찰 결과 씨놀은 정맥주사 주입 직후 30초 만에 뇌세포에 도달하여 안정적인 상태를 유지하였다. 경구 투여 때도 뇌 속에 빠르게 전달되어 60분 후에는 뇌속에 안정적인 수준을 유지하는 것으로 나타났다고 발표했다.

혈뇌장벽은 중추신경계CNS에서 뇌척수액과 혈액을 분리시키는 장벽으로 고난도의 선택적 투과성을 갖고 있다. 우리 몸의 핵심 기관인 뇌중추를 혈액으로 운반될 수 있는 세균 등 병원체와 잠재적인 혈액 내 위험 성분으로부터 격리시키는 역할을 한다.

뇌 모세혈관의 내피세포는 성상세포의 발동기로부터 분비되는 물질에 의해 밀착 연접되어 있다. 세포 간 용질의 이동을 방해하여 고분자와 친수성 물질의 통과를 막는다. 이로 인해 수용성 분자가 혈뇌장벽을 통과하기 위해서는 특별한 채널이나 운반체 단백질을 필요로 한다.

뇌 모세혈관에 있는 내피세포들은 서로 밀착 연접되어 있다. 작은 소수성 분자, 즉 O_2, CO_2, 호르몬 등 지용성 물질은 혈뇌장벽을 통과하고, 뇌척수액CSF에 있는 미세 물질(박테리아 등), 고분자 물질, 극성 물질, 강한 전해질 등 비지용성 물질은 통과가 제한된다.

지금까지 뇌세포를 되살리는 약물을 개발하는 과정 중에 BBB를 통과하는 물질을 개발하는 것이 가장 어려운 과제였다. 해양바이오 페놀, 즉 씨놀은 BBB를 투과하는 것으로 확인된 것은 앞에서 설명했다. 뇌에 머물면서 뇌세포의 항염기능과 항산화 기능 등도 함께 향상시키는 약리작용을 기대하는 이유이다.

씨놀은 화학적으로 합성한 물질이 아니다 ＿＿＿＿＿

씨놀은 남해와 제주도 앞바다 등에서 채취한 갈색 해조류 감태를 말려 가루로 분획한 천연물이다. 약효를 나타내는 주성분은 에클로탄닌^{Ecklotannin}이란 물질이다.

모두 16종류가 분리, 정제됐는데 이 중 14종류가 약용으로 쓰인다. 이 성분은 마디풀과의 여러해살이 풀, 대황에도 많이 들어있다. 씨놀은 효과가 빠르고 안전해 약효와 안전성을 검증하는 데도 많은 시간을 필요로 하지 않는다. 3개월 정도면 치매 및 파킨슨병 치료와 관련해 가치 여부가 분명히 드러난다.

씨놀 치료의 기초는 혈뇌장벽BBB 통과에 있다 ＿＿＿

서울대 의대 핵의학과 연구에 따르면, 중추신경계에 작용하는 약물이 효과를 발휘하기 위해서는 일단 뇌혈관장벽을 통과해야 한다. 서울대 교수팀은 씨놀에 동위원소를 붙여 투약 후 유효성분의 전달 경로를 추적 관찰했다.

그 결과 씨놀은 혈관 또는 경구 투여 때 빠르게 뇌혈관장벽을 통과해 100분 이상 뇌 속에 체류하는 것으로 확인됐다. 씨놀이 치매 원인 중 하나인 독성 물질 '베타-아밀로이드'의 신경 독성을 해소하고(미국 렌슬러 폴리텍 연구소), 아예 베타-아밀로이드 생성을 억제하는 작용도(한밭대 응용화학과 이봉호 교수) 하는 것으로 밝혀졌다.

뇌 모세혈관의 주요 특성

뇌 모세혈관의 주요 특성

뇌 질환을 파악하기 위해서는 먼저 뇌 모세혈관을 알아야
한다. 모세혈관벽을 구성하는 내피세포에는 사이 사이 틈새가 있
다. 그 조각 사이의 틈새는 각 장기마다 다르다. 대부분의 모세혈
관은 가늘고 물로 채워진 연속적인 작은 구멍(물구멍)이 세포 사이
의 연접 부위에 존재한다.

이 작은 구멍은 수용성 용액만을 통과시키고, 산소나 이산
화탄소와 같은 지용성(기름에 녹는 성질) 물질들은 지질 이중막에
용해되어 내피세포를 통과한다. 미세혈관 구멍의 크기는 장기마
다 매우 다양하다.

먼저 대뇌 모세혈관이다. 대뇌 내피세포들은 빈틈없이 서로 꽉 결합하고 있어 세포 간의 물질 이동을 막아준다. 뇌혈관장벽으로서의 방어 기능이다. 그러나, 씨놀과 산소 이산화탄소 등 일부 지용성 물질은 통과한다.

대부분의 조직(세포골격, 심장근, 폐, 지방조직)에서는 이온, 포도당, 아미노산과 같은 저분자량의 수용성 물질들은 물로 채워진 구멍을 통과한다. 지용성 물질인 산소나 이산화탄소는 지질 이중막 안에 녹아들면서 모세혈관을 통과한다.

신장과 소화기관은 모세혈관 내피세포 사이에 가늘게 갈라진 틈으로 상당히 많은 구멍을 가지고 있다. 그 구멍의 크기가 다른 장기보다 크고(20-100㎚), 천공fenestration이 있다.

모세혈관의 천공은 소화된 음식물이 흡수되거나 오줌이 형성되는 동안 소화계와 세뇨관을 통해 신속하게 이동하도록 도와준다. 간장의 모세혈관은 다른 조직의 모세혈관과는 달리 비연속적인 구멍을 지니고 있다.

연속 모세혈관의 4nm의 간격에 비해 비연속적인 모세혈관에서 이웃한 세포 사이의 10~1000nm 정도로 비교적 크다. 간장의 모세혈관은 천공과 세포 사이의 커다란 구멍을 가지고 있으며 이것은 단백질을 쉽게 통과시키도록 기능한다.

간의 기능은 혈장 단백질의 합성과 콜레스테롤과 같은 단백질 결합물질의 대사를 담당하기 때문에 이러한 단백질은 모두 간의 모세혈관을 반드시 통과해야한다. 간의 혈관은 이와 같이 분자량이 큰 물질이 통과하도록 적응된 것이다. 모세혈관의 투과 정도는 고정되어 있지 않고 최상의 생존을 위해 적절하게 변한다.

씨놀의 BBB 통과 임상실험

씨놀의 BBB 통과 임상실험 ──────────

　　연구팀의 임상실험 결과에 따르면 여러 명의 한국 환자가 씨놀을 복용하기 전과 후에 차이를 보였다. 이들 가운데, 파킨슨병 환자는 씨놀을 복용한 지 개월 만에 손과 머리의 떨림 현상이 현저하게 줄어들었다. 알츠하이머병 환자는 복용 전에 의사가 사람과 개 모습이 중첩된 오각형 그림을 그려내지 못하였으나, 복용 후 몇개월 지나자 한 개의 오각형을 그려 낼 수 있었고 기억력(지능)이 현저히 개선되었다. 이행우 박사는 스탠포드대학, 남캘리포니아대학, UCLA 등 중추신경계(CNS) 전문가를 중심으로 수차례 국제공동임상실험을 진행한 바 있다. 당시 해외 임상 연구

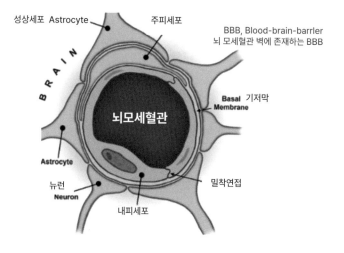

혈뇌장벽(혈액뇌장벽) 구조

성상세포 Astrocyte

주피세포

BBB, Blood-brain-barrier
뇌 모세혈관 벽에 존재하는 BBB

B R A I N

뇌모세혈관

Basal 기저막
Membrane

Astrocyte

뉴런
Neuron

밀착연접

내피세포

* 성상세포 : 뇌교세포(glial cell)의 일종. 혈관의 해로운 물질이 뇌속으로 들어오지 못하도록 혈관 벽을 감싼다.

대한의사협회 의학용어사전에 따른 표기

혈액뇌장벽(血液腦障壁, Blood-Brain Barrier,BBB), 즉 혈뇌장벽은 뇌와 혈액을 격리시키는 혈관 장벽이다. 높은 선택적 투과성을 갖고 있다. BBB는 뇌를 포함한 중추신경계의 조절 기능을 혈액 내로 침투해 온 세균 등 병원체와 위험 물질을 막는 역할을 한다. 독일 신경학자인 파울 에를리히Paul Ehrlich는 1907년 실험을 통해 BBB의 존재를 밝혀냈다. 푸른색 염료를 동물의 혈관에 주입했을 때, 뇌와 척수조직을 제외한 모든 조직이 파랗게 물드는 현상을 발견했다. 이어 같은 염료를 뇌를 감싸는 척수에 주입했을 때 뇌와 척수만 파랗게 물드는 현상을 발견해 혈뇌장벽의 존재를 최초로 밝혔다. 뇌 모세혈관의 내피세포는 밀착연접으로 고분자와 친수성 물질의 통과를 막는다. 이로 인해 수용성 분자가 혈뇌장벽을 통과하기 위해서는 특별한 채널이나 운반체 단백질을 필요로 한다. 뇌의 일부분에는 혈뇌장벽이 없는 부분이 있다. 뇌활동에 필요한 특별한 물질이 들어가기 위한 것으로, 이 부분 혈관에는 중추신경계통의 모세혈관에 나타나는 밀착연접이 없다.

팀이 주목한 것은 씨놀의 혈뇌장벽BBB 통과 여부였다. 알츠하이머병 치료에서 난관은 약물이 반드시 BBB를 통과해 약리작용을 해야한다는 점이다.

연구팀은 동물실험에서 에클로탄닌이 뇌혈류장벽을 통과해 뇌세포까지 진입하여 알츠하이머병과 파킨슨병 환자의 상태를 호전시킨 사실을 확인했다. 그는 미국과 한국에서 진행한 초기 임상실험에서 뇌기능이 손상된 환자를 대상으로 16개월간 임상실험을 진행했다. 이들의 80% 가량이 씨놀을 복용한 수개월 후 증세가 호전되는 것을 확인했다.

씨놀, 베타 - 아밀로이드를 제거하다

씨놀, 베타-아밀로이드를 제거하다 ────────

치매는 가족력도 5~10% 이내인 뇌질환이다. 65세 이후부터 유병률이 빠르게 올라가는데, 이 때부터 누구나 치매에 각별히 주의해야 한다. 치매가 오면 가장 먼저 기억을 담당하는 해마 부위의 신경세포 수가 감소하면서 기억 장애가 생긴다. 시간이 지나면 뇌의 전반적인 기능을 통제하는 전두엽 등이 제 구실을 못하게 돼 일상생활이 어려워진다. 이는 전체 치매의 50~60%를 차지하는 알츠하이머성 치매뿐 아니라, 뇌 혈관에 문제가 생기거나 혈액순환이 잘 안 돼 뇌 기능이 떨어지는 혈관성 치매(전체 치매의 20~30%)와, 단백질 덩어리인 루이소체라는 물질이 대뇌피질에 쌓이는 루이소체 치매(10~20%)도 마찬가지다.

그 중 알츠하이머성 치매는 특히 뇌조직을 손상시키는 '베타-아밀로이드 단백질'이 뇌에 과도하게 쌓여서 생기는 것으로 알려져 있다. 원래 우리 몸은 뇌에 쌓인 아밀로이드를 청소할 능력을 갖고 있다. 나이가 들면 그 기능이 점점 떨어져 결국 치매가 오기 쉬운 상태가 된다는 점이다.

베타-아밀로이드 단백질은 해마부터 시작해 전두엽·후두엽·두정엽 등 뇌 전반에 걸쳐 쌓인다. 그러면 해당 부위의 뇌기능이 떨어져 점점 더 많은 증상이 새로 나타난다. 증상은 서서히 발현되기 때문에 정확히 언제부터 치매 증세를 겪기 시작한 것인지 알기 어렵다. 특히 발병 초기부터 전두엽과 측두엽이 망가지는 전두·측두엽 치매환자는 초기에 나타나는 기억력 장애 없이 곧바로 다른 증상을 겪기도 한다.

치매가 일단 발병하면 아래 그림처럼 신경세포 사이의 연결에 문제가 생기면서 질환이 진행된다. 치매 진단 이후 수명은 사람마다 다르다. 이 기간 동안의 삶을 조금이나마 존엄하고 가치 있게 하려면, 그에 맞는 대처법을 익혀둘 필요도 있다.

씨놀 연구팀은 갈색 해조류에서 추출한 식물성 물질 '에클로탄닌'이 뇌세포의 활동을 촉진하고, 뇌의 퇴화를 방지한다는 연구성과를 발표했다. 연구팀은 1995년부터 퇴화성 질병을 연구하였는데 한국, 일본 및 뉴질랜드 해역에서 많이 볼 수 있는 갈

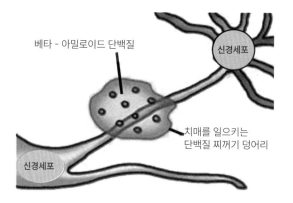

베타 - 아밀로이드 단백질

신경세포

**치매를 일으키는
단백질 찌꺼기 덩어리**

신경세포

베타 - 아밀로이드 치매 가설

베아-아밀로이드 단백질의 찌꺼기가 신경세포 사이를 연결하는 뉴
런에 문제가 생기고 뇌 신경세포 연결이 차단되고, 뇌 신경세포가
사멸되면서 뇌기능에 이상이 발생한다. 미국 샌디에이고의대 연구
결과에 따르면, 베타-아밀로이드 축적이 알츠하이머 질환의 원인
이 아닐 수도 있다는 주장도 있다. 그러나 현재까지 이 가설을 뒤엎
을만한 연구는 없다.

색 해조류에서 에클로탄닌을 추출했다. 그러면서 알츠하이머 환
자 및 파킨슨병 환자에게서 질환이 개선되는 리버스 현상이 일어
났다고 소개했다. 에클로탄닌은 베타-아밀로이드 단백질과 노인
반(얼룩)의 축적을 줄이고(그림 참조), 뇌세포 산화 스트레스, 뇌세
포 염증, 지질 및 당류 대사 이상 및 대뇌의 혈류 공급 등을 조절
한다.

에클로탄닌^{Ecklotannin} 이란?

지금까지 연구 결과에 의하면, 감태에서 모두 16종류가 분리 정제되는데 이 중 에클로탄닌 계열 14종류가 모두 약용으로 쓰인다고 한다. 이 성분은 마디풀과의 여러해살이풀 대황^{大黃}에도 많이 들어있으며 대부분이 탄닌 계열의 폴리페놀이다.

녹차의 카테킨은 가수분해 형으로 몸속에서 물과 만나면 4개의 링구조(-OH 수산기)가 분해되어 1~2개의 링구조를 가진 형태로 바뀐다. 반면 탄닌 계열의 폴리페놀은 가수분해 형이 아니다.

따라서 원래 가지고 있던 물질의 화학구조 그대로 인체에 흡수되어 작용한다. 감태^{Ecklonia cava}에서 추출된 씨놀, 즉 폴리페놀은 링 구조가 4~8개까지 다양한 형태로 추출되었는데 그 하나하나의 폴리페놀은 수용성과 지용성의 양쪽 특성을 모두 가지고 있다.

링구조가 많이 결합되어 있을수록 몸 속에서 그대로 흡수된다. 수용성인 녹차의 카테킨은 일반적으로 세포에 도달하지 못하고 분해되는 것으로 알려져 있다.

10장

씨놀의 다양한 효능

코로나 바이러스 퇴치에 몰두

코로나 바이러스 퇴치에 몰두 ⎯⎯⎯⎯⎯⎯⎯⎯⎯

씨놀 연구팀은 최근 코로나 바이러스를 퇴치하는 '안티비 anti-V 프로젝트를 출범시켰다. 씨놀의 다양한 성분들이 항바이러스에 뛰어난 효능을 보인 기초적 연구를 토대로 했다. 연구팀은 코로나 바이러스와 인플루엔자 등에 대항하는 항바이러스 활성을 밝혀냈다. 이를 기초로 해서 해양 폴리페놀 화합물 디에콜 Dieckol을 고순도로 정제하는 양산 기술에 나섰다. 아울러 정제된 고순도 디에콜이 각종 표적 항체, 치료제 및 의료기기 등에 결합할 수 있도록 작용기를 도입하는 기술도 개발했다.

디에콜은 항암활성뿐만 아니라 코로나 바이러스, 인플루엔

코로나 바이러스의 기본구조

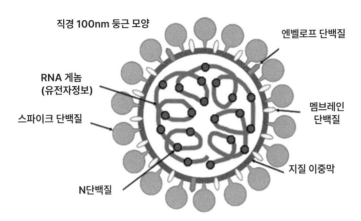

직경 100nm인 둥근 모양의 바이러스. 모양이 왕관과 닮았기에 그리스어로 왕관을 의미하는 코로나로 명명. 표면은 지질 이중막으로 덮여 있으며, 안에 RNA게놈(유전자)가 있다. 표면은 스파이크, 엔벨로프 및 멤브레인 단백질로 구성. 유전자정보를 가진 게놈 크기는 RNA 바이러스 중에서 가장 큰 크기인 30kb. 통상 인플루엔자 바이러스의 게놈은 약 10kb.

자 바이러스 및 HIV 바이러스에 대한 강력한 억제효과를 나타낸다. 특히, 고순도 디에콜은 사스 바이러스와 코로나 바이러스의 복제에 필수적인 단백질을 효과적으로 억제한다는 사실이 밝혀졌다.

감태에서 추출한 씨놀의 다양한 생리 활성은 플로로탄닌에 의해 주로 발현된다고 보고되고 있다. 대표적인 플로로탄닌으로는 에콜^{eckol}, 디에콜^{dieckol}, 트리플로레^{triphlorethol} A 등이 있다. 감태의 플로로탄닌은 항산화 및 항암, 항염증, 항고혈압 활성 뿐만 아니라 에탄올에 의해 유발된 간 손상(과음) 회복 등에 효과를 보인다. 특히, 감태의 대표적 플로로탄닌계 디에콜은 항당뇨 활성을 발현시킨다.

아울러 감태 추출물 디에콜은 자외선B에 대해 우수한 억제 효과를 나타낸다. 손상을 입은 세포의 생존율을 높여줄 뿐만 아니라, 자외선B에 의해 손상을 입은 세포의 보호효과 또한 뛰어나다. 동물실험을 통해 확인해본 결과에서도 자외선B에 의해 유도되는 홍반을 치유하는 탁월한 효능을 가지고 있다. 따라서 해양 천연물 유래의 새로운 자외선 차단제로 이용할 수 있다. 천연 소재라는 점 또한 부가가치가 크다.

간에 미치는 씨놀의 효능

간에 미치는 씨놀의 효능 —————————————

우리 몸에서 대표적인 해독 기관으로 간장을 들 수 있다. 피를 맑게하는 가장 중요한 기관이 간이다. 간 기능은 수시로 소화기관에서 들어오는 여러 가지 물질들로 인하여 가장 크게 영향을 받는 장기이다. 간은 활성산소와 염증 등을 수시로 야기하는 환경 속에 놓여 있다.

간에는 쿠퍼세포라고 하는 면역세포가 있다. 골수에서 나온 성분이 간으로 이동하여 정착한 것이다. 이어 적혈구의 대식, 혈색소의 분해, 담즙색소 형성, 세균독소의 흡착, 고정 등의 작용을 한다. 특히 간은 '해독작용'을 한다. 간세포는 약물, 대사산물, 알코올 등 독성물질을 분해하고 간장에 있는 쿠퍼세포는 혈액 속 오래된 적혈구나 손상된 찌꺼기를 없앤다.

간은 탄수화물 대사를 통해 혈당 유지에 관여한다. 이어 지방 대사를 통해 남는 탄수화물은 지방으로 축적, 필요하면 에너지로 쓸 수 있는 형태로 바꾼다. 또한, 단백질 대사를 통해 아미노산으로부터 알부민, 글로불린, 혈액 응고 단백질 등 혈장 단백질을 만들어낸다. 간세포는 지방의 화학적 소화를 돕는 담즙을 만든다. 간은 지용성 비타민과 철분, 구리 그리고 약간의 수용성 비타민(B12) 저장역할도 한다. 간이 '몸속 화학공장'이라 불리는 이유이다.

우리가 먹는 음식 대부분 위와 장에서 소화 과정으로 분해, 혈액으로 흡수된다. 흡수된 영양소는 대부분 간문맥을 통해 간으로 모여 에너지를 생산할 수 있는 물질로 대사된다. 간은 에너지가 남으면 저장, 부족하면 다시 분해 공급하는 과정을 반복한다. 우리가 먹은 음식물과 에너지 영향은 사실 위장보다 간장에서 비로소 느낄 수 있다. '간에 기별도 안 간다'라고 표현이 우연이 나온 말이 아니다.

쿠퍼세포의 기능이 활성화 되기 위해서는 해독 과정의 중간 대사 물질이 잘 처리되어야 한다. 몸 속에 들어온 독소들은 과도하게 활성산소를 일으켜 염증을 야기하고, 중간 대사산물을 증가시켜 DNA에 손상을 가한다.

간에 공급되는 혈액과 영양소

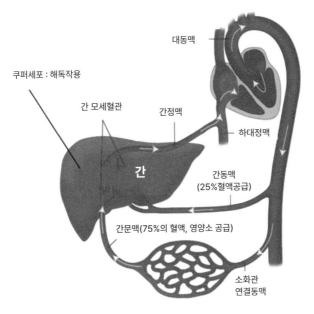

자료 : 헬스조선

씨놀의 대표적인 특성은 활성산소와 염증을 줄이는 역할을 한다. 물론 일체 부작용도 없다.

따라서 씨놀을 수시로 섭취하면 간 해독 능력을 향상시키고, 혈액을 맑게 하며 간 기능을 고양시킨다. 오사카대학의 식품영양학과 코지마교수의 실험 데이터에 의한 결과이다.

여성 신체 질환에 특효

여성 신체 질환에 특효 ─────────

남성과 달리 여성에게는 여러가지 질병에 노출되기 쉽다. 특히 임신 출산 수유 과정에서 수십 년간 몸에 축적되어온 독성 물질이 어느 한계를 벗어나면 염증과 종양으로 번져 여성 질병을 번지게 된다. 현대 여성들에게는 특히 천연 재료보다는 석유화학 물질들로 만들어진 화장품류나 환경호르몬이 일부 방출되는 소재에 노출되어 있다. 여성 호르몬 특히 에스트로겐은 환경호르몬, 즉 외인성 내분비 교란 물질에 취약하다. 에스트로겐과 프로게스테론의 불균형을 유도하여 여성암에 잘 노출된다는 연구보고도 있다.

뇌칠환 암 당뇨 치유의 길

특히 여성암 중에는 유방암의 발생 빈도가 매우 높다. 지방 조직이 많은 여성의 유방조직에는 독성 물질이 쌓이고 정체될 가능성이 높다. 독성물질은 우리 몸에서 특히 지방조직에 쌓일 수 있는데 지방조직이 분해되면서 그 독소가 혈액 속으로 풀려나와 갖가지 염증을 유발한다. 염증은 피부에서 발생될 때는 통증을 유발하지만 내부 장기에서 발생될 때는 통증을 못 느낀다. 암의 경우는 그 세포가 혈관을 따라 전이 되기도 한다.

심장질환과 씨놀의 기능

심장질환과 씨놀의 기능

협심증이 있는 사람에게 씨놀을 투여하는 실험을 했다. 투여 전에 강제적으로 니트로 글리세린에 의해서 혈관의 근육을 이완시켰다. 씨놀을 투여한 후에는 건강한 사람과 같은 수치만큼 상승하였다. 이는 혈관내의 동맥경화를 유발하는 혈관내피 콜레스테롤이나 혈전 등이 씨놀에 의해서 사라졌고, 혈관의 탄성도를 올렸다는 것을 의미한다.

그렇다면 씨놀은 어떤 작용을 했을까. 혈관내피를 재생하여 혈관 본래의 탄력성을 회복하고 혈관내피의 동맥경화 유발 물질들을 제거시켜 혈관을 깨끗하게 했다. 심혈관 질환을 예방하고 치유한다고 볼 수 있다. 이런 결과는 씨놀의 대표적인 특성 때문이다. 바로 강력한 항산화 기능과 항염증 작용이다. 씨놀을 3개월 이상 섬유질이 많은 음식과 함께 꾸준히 섭취하면, 세포내 미토콘드리아(세포 호흡 담당)의 숫자가 점점 증가한다. 이를 통해 미토콘드리아를 괴사시키는 활성산소와 염증을 억제한다. 미토콘드리아의 숫자가 증가하게 되면 당뇨병은 자연스럽게 치유된다.

씨놀의 근본적인 치료 기능이 이 것이다. 씨놀과 같은 고농도의 폴리페놀을 섭취할 경우 일시적으로 당수치가 급격히 상승할 수 있다. 이는 헤모글로빈에 붙어 있던 당이 떨어지거나, 세포외액에 모여 있던 당이 혈관쪽으로 일시 이동하면서 올라가는 현상이다. 다시 말해 혈관속에서 일시적으로 당 수치가 상승하는 것이다. 이 때 당 수치가 높다고 씨놀의 섭취를 중단하면 당뇨병 치유를 기대할 수가 없다. 계속해서 씨놀을 꾸준히 섭취하면 당뇨를 개선할 수 있다.

아울러 씨놀은 비만과 체중관리에도 도움이 된다. 씨놀은 지방을 잘 분해하여 열에너지로 전환시키는 작용을 한다. 마치 운동효과를 볼 수 있다.

수면의 질을 높이는 씨놀의 작용

수면의 질을 높이는 씨놀의 작용

우리는 일생의 1/3 동안 잠을 잔다. '수험생들 사이에 퍼져 있는 3당4락, 즉 3시간 자면 대학에 붙고, 4시간 자면 대학에 떨어진다'라는 속설이 있다. 시쳇말로 죽으면 쭉 자니 살아있을 때 적게 자야한다는 우스갯소리다. 그러나, 만성적인 수면부족은 일상생활의 장애를 유발하며, 비만을 초래하고 수명을 단축시킨다. 잠은 영양소 섭취보다 더 중요하다는 점에서 반드시 유념해야 한다.

사람은 왜 자야 하는가 _____

우리 뇌의 시상하부에는 사람의 24시간, '수면 – 각성' 리듬을 관장하는 생체시계가 있다.

수면 호르몬인 멜라토닌은 저녁에 해가 지면 분비되기 시작하다가 밤 2~3시경에 농도가 가장 높아진다. 졸음과 신체의 피로감이 최고치에 도달한다. 따라서 새벽까지 일하거나 밤을 새운 후에 운전하는 것은 매우 위험하다. 밤을 꼬박 새우고 24시간 동안 깨어 있을 때 사람의 뇌는 알코올 농도 0.1%의 심하게 술 취한 상태와 같다. 또한 1주일 동안 하루 4시간씩 잠을 자면, 뇌 기능이 알코올 농도 0.1%의 만취 상태와 비슷하다는 보고가 있다. 평균 4시간씩 수면을 취하는 사원은 회사에서 만취 상태로 일하는 꼴이다.

개인별 적정 수면시간은 얼마? _____

잠은 단순히 휴식을 취하는 것이 아니라 낮에 소진한 에너지를 충전하고 신체와 정신의 피로를 회복하는 준비 단계이다. 적절한 양의 잠은 감정을 순화시키고 낮에 보고 들은 것을 오랫동안 기억할 수 있게 한다. 그렇다면 개인별로 적정 수면시간은 얼마일까. 미국립수면협회의 조사결과에 따르면 현대인들의 밤

중 활동이 늘어나면서 수면시간이 지속적으로 줄고 있고, 전 세계적으로 밤 12시 이후에 잠자리에 드는 국가 Top10 중 대한민국이 3번째로 꼽히고 있다. 전반적으로 늦게 잠자리에 든다는 점이다. 뇌신경 전문의의 자문을 토대로 산정해보면 적정수면시간은 신생아 15~16시간, 1세 12~14시간, 2~3세 11~13시간, 유치원/초등생 9~10시간, 청소년 8~9시간), 성인 7~8시간 등으로 구분할 수 있다.

성장기의 경우 깊은 잠에서 성장호르몬이 잘 분비되기 때문에 깊은 숙면이 필요하며, 성인의 경우에는 개인에 따라 다르지만 하루에 7.5 시간이 가장 적절하다. 실제 여러 연구를 보면 하루에 7.5시간보다 적게 자는 경우 사망률과 심장병, 당뇨병 등 각종 성인병의 발생률이 증가한다고 보고되었다.

수면의 질을 결정하는 알파파 ————————

침대가 흔들리는 바스락 소리에 밤새 잠을 못 이룰때도 있지만, 알람시계가 울리는 데도 잠을 자는 경우도 있다. 'PLoS ONE 저널'(2011년 3월3일자)에 발표된 연구에서 뇌파중의 하나인 알파파alpha wave와 수면에 깊은 연관성이 설명되어 있다.

이에 따르면, 뇌 활동은 하루 생활 중 많은 변화를 겪는다. 잠에서 깨어났을 때 뉴런은 짧은 파장 (8-13 헤르츠, Hz)의 신호를 내보낸다. 알파파는 마치 지진 발생 때 기록되는 파장으로 나타난다. 수면중에는 뇌신경세포 뉴런의 활동(세타, 베타 파장)은 느려진다. 대신 알파파의 파장은 활발해진다는 연구보고가 있다. 씨놀의 특성을 연구한 논문중에 씨놀 섭취 후의 뇌파를 측정한 데이터에서 알파파가 유의적으로 증가되었다는 보고가 있다. 스트레스를 받으면 코티졸 수치가 올라가는데 코티졸은 수면을 촉진하는 알파파의 활동을 억제한다. 코티졸과 알파파는 서로 상반되는 개념이다. 알라파가 부족하면 깊이 잠들지 못하고 자주 꿈을 꾸고 피로감을 느낀다.

씨놀은 혈뇌장벽BBB을 통과하여 뇌의 기능저하를 촉진하는 산화물질을 제거한다. 몸속에서 이런 해로운 물질을 제거한다. 따라서 알파파를 활성화시켜서 숙면을 유도하고 기억력 증진에 도움을 주는 아세틸콜린의 분비를 촉진한다.

이와 관련한 실험이 일본 도쿄대학 생명공학과에서 진행되었다. 생쥐를 대상으로 씨놀과 사람에 투여하는 수면제를 동시에 투여한 결과 씨놀은 수면제와 유사한 효과를 보였다. 수면제라는 화학적 성분이 아니라, 씨놀은 천연 신경안정제로서 역할을 할 수 있는 유의미한 결과를 얻었다. 도쿄대학은 연구팀은 이런 내용을 국제학술지에 발표했다.*

---

* https://www.tandfonline.com/doi/pdf/10.1271/bbb.110702?needAccess=true

그림 (A)
실험 대상 쥐들이 잠들기까지 걸리는 시간(단위 분)

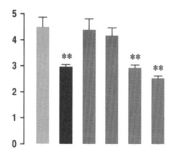

생쥐 실험에서는 그림(A)와 같은 유의미한 결과를 얻었다. 수면제(CON, DZP)를 생쥐에 투여했고, 아울러 플로로탄닌 추출물(씨놀, ECEE)을 각각 100, 250, 500, 1000mg/kg 씩 투여했다. 그림(A)는 잠들기까지 걸리는 시간을 나타낸다. 수면제와 거의 같은 효과를 나타낸다.

그림 (B)
실험 대상 쥐들이 잠들어 있는 시간 (단위 분)

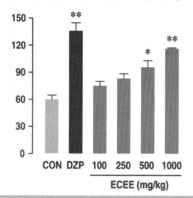

그림(B)는 잠들어 있는 시간을 나타낸다. 두 종류의 수면제를 투여한 실험군(CON, DDP)과, 씨놀을 투여한 실험군(ECEE)을 비교한 결과, 역시 거의 유사한 결과를 나타냈다. 씨놀의 용량을 많이 투여할수록 수면시간이 길어지는 결과였다.

이를 통해 씨놀이 수면을 재촉하는 알파파를 증가시키는 역할을 상당한 효능이 있는 것으로 신경학계에서는 추정하고 있다.

도쿄대학에서 시행한 생체실험에 결과는 위 그림에서 설명되어 있다.

* Depressive Effects on the Central Nervous System and Underlying Mechanism of the Enzymatic Extract a (tandfonline.com) journal homepage: https://www.tandfonline.com/loi.tbbb20

부록 I

PH- 100은 무엇인가?

독성 및 부작용이 없는 혁신적인 대사증후군 및 제2형 당뇨 합병증 치료에 특효적인 물질이다. 해양 폴리페놀 씨놀에서 추출한 성분을 원재료로 하는 천연 물질이다.

기존 당뇨 약물 치료와 병행하여 처방이 가능(중복처방 가능)하며, 강력한 항염 -항산화 물질로서 임상 2a상 시험을 통해 신약으로서 가능성이 입증되었다.

대사증후군 치료제 개발을 목적으로 임상시험(2상)을 진행 중에 있다. 대사증후군 질환에서 가장 흔한 것이 당뇨병이다. 우리 몸의 만성 고혈당은 눈, 신장, 신경에 악영향을 미치면서, 미세혈관 합병증과 심혈관 질환의 직접적 원인이 된다.

당뇨병은 인슐린의 분비 감소, 환자의 인슐린 감수성 악화에 따라 발병하며, 혈당 증가를 특징으로 하는 대사장애(대한당뇨병학회 , 2017) 질병이다.

미국에서도 당뇨병 치료제로
승인된 약물은 아직 없다 _____

현재까지 미국 식품의약국FDA이 당뇨병 예방약으로 승인한 약물이 없다. 그만큼 예방하기도 치료하기도 쉽지 않기 때문이다. 현재 당뇨병 및 합병증 치료제로는 스타틴statin 계열의 약물치료가 일반화 되어 있다. 현재 스타틴 제제는 당뇨병 및 심혈관 질환을 개선하는 약물치료에 가장 널리 사용되고 있으며, 이를 능가하는 약물은 아직 없다. 그러나, 그 부작용이 만만찮다. 많은 임상연구들 사이에서는 지질대사 이상의 개선과 심혈관 질환 예방에 효과적인 약물로 알려져 있으나, 갖가지 부작용을 내포하고 있다.

씨놀 연구팀은 82명의 환자를 대상으로 임상 2a상의 안전성 분석 결과는 PH-100의 약물로서 사용 가능한 기초가 되었다. 연구팀은 임상 2a에서 예상한 중대 이상 반응을 체크해보았다. 약물이상반응, 임상시험용 의약품의 투여 중단을 야기하는 이상반응, 사망에 이르게 하는 중대 이상반응 등이 발생하지 않았다. 유의미한 반응, 즉 실험실적 검사, 이학적 검사 및 활력 징후에서도 안전성에 부정적 영향을 미칠것으로 판단되는 결과는 관찰되지 않았다.

연구팀의 임상시험은 표준 치료 방식을 취했다. 현재 당뇨

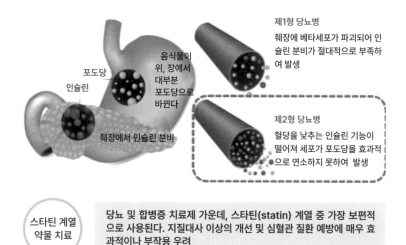

포도당
인슐린

음식물이
위, 장에서
대부분
포도당으로
바뀐다

췌장에서 인슐린 분비

제1형 당뇨병
췌장에 베타세포가 파괴되어 인
슐린 분비가 절대적으로 부족하
여 발생

제2형 당뇨병
혈당을 낮추는 인슐린 기능이
떨어져 세포가 포도당을 효과적
으로 연소하지 못하여 발생

스타틴 계열 약물 치료	당뇨 및 합병증 치료제 가운데, 스타틴(statin) 계열 중 가장 보편적으로 사용된다. 지질대사 이상의 개선 및 심혈관 질환 예방에 매우 효과적이나 부작용 우려
PH-100	천연물 약제로 강력한 항염-항산화 작용을 하면서, 스타틴 계열 약제와 병행 치료(중복처방 가능)가 가능하며, 부작용 없음

병 처방약으로 사용되는 혈압약, 항혈소판제, 고지혈증 치료제인 스타틴 제제 및 당뇨병을 조절하는 최신 당뇨약을 모두 사용하는 표준 치료를 반드시 진행하면서 병행 투여했다. PH-100을 기존 치료의 보조제로 병행 추가하였을때 위험성은 증가하지 않았다.

PH-100의 정의

다년생 갈조류의 일종인 감태(Ecklonia cava)에서 알코올을 이용하여 추출한 폴리페놀(씨놀, 씨폴리놀)을 일반 제약으로 만들기 위해 표준화한 성분으로서 ICH Guidance Q7A 기준에 입각하여 제조되었다.

씨놀 또는 씨폴리놀(SeaPolyno) 정의

다년생갈조류인 감태에서 추출한 해양 폴리페놀

씨놀 또는 씨폴리놀의 장점

의약, 식품, 화장품 등 다양한 분야 적용가능 (미 FDA에서 NDI인증 받음)

1. 강력한 항염증

- 염증의 마스터 스위치인 NF-kB제어

- 통증을 유발하는 CO-2효소의 억제

- 조직을 분해하는 MMP-2, MMP9효소 억제

2. 강력한 항산화

- 뛰어난 활성산소 소거 능력

- 세포의 어느 위치에서든 작용하는 항산화력

3. 혈관기능 개선

- 혈관 확장을 통한 원활한 혈류 작용

- 혈액을 부드럽게 하는 안티플라즈민의 조절

- 산화 콜레스테롤 생성 방지를 통한 혈액 순환 강화

PH-100 의 기대효과

- 당뇨합병증 치료의 시작점부터 약리 작용

- 당뇨합병증은 병소 주변 말초순환에 어려움이 있으므로, 치료에 따른 회복효과가 느리다. 따라서 병소의 말초순환을 복원시키는 것이 효과적인 치

료에 있어 중요하다.

• 산화스트레스, 염증, 고지혈 및 원활치 않은 혈류 순환은 서로 얽혀서 악순환의 고리를 당뇨성 심혈관 합병증을 악화시키는 악순환의 고리를 형성한다.

• 당뇨전단계 ▶ 당뇨 ▶ 당뇨합병증에 걸쳐 지속 작용하는 원천적 병인들인 인슐린저항성, 고혈당, 만성염증 및 산화스트레스를 제어하지 않고는 당뇨합병증의 치료에 한계가 있다.

• PH-100을 구성하는 성분들은 말초순환 개선에 도움되는 약리작용이 알려져 있다.

　(1) anti-plasmin 을 억제함으로써 플라즈민 활성화를 유도

　(2) Angiotensin converting enzyme 억제작용을 통해 혈관 확장을 도와준다.

　(3) antithrombotic effect에 의해 혈액이 다시 끈적해지는 것을 막아줄 수 있다.

• PH-100의 다기능 약리작용은 이러한 병인들의 상호작용으로 형성된 악순환의 고리를 동시에 끊어줄 수 있을 것.

　(1)강력한 항산화력은 고혈당으로 급증가된 활성산소를 제거하는 동시에,

　(2)항염증활성은 병소 주변 조직의 염증을 감소시켜 세포의 정상적 기능 유도

　(3)혈액의 흐름 및 혈관의 확장기능을 개선하여 병소주위 말초순환을

복구하며,

(4)조직노화물질(AGE)의 생성 억제효과로 당뇨합병증의 진전을 지연시키고, 회복과정을 유지시킬수 있다.

• 당뇨합병증 병인의 원천적 제어

다양한 기대효과 요약

PH-100 효능을 인정한 미국 한국 유럽 보건의료기관의 인증서

➢ US FDA NDI, EU EFSA NFI, KFDA

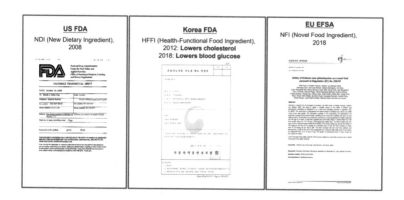

씨놀에서 추출한 세계 최초 대사증후군 치료제 PH-100 개발사

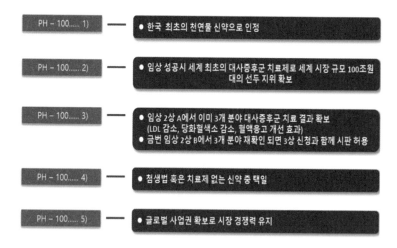

PH – 100...... 1) ──● 한국 최초의 천연물 신약으로 인정

PH – 100...... 2) ──● 임상 성공시 세계 최초의 대사증후군 치료제로 세계 시장 규모 100조원 대의 선두 지위 확보

PH – 100...... 3) ──● 임상 2상 A에서 이미 3개 분야 대사증후군 치료 결과 확보 (LDL 감소, 당화혈색소 감소, 혈액응고 개선 효과)
● 금번 임상 2상 B에서 3개 분야 재확인 되면 3상 신청과 함께 시판 허용

PH – 100...... 4) ──● 첨생법 혹은 치료제 없는 신약 중 택일

PH – 100...... 5) ──● 글로벌 사업권 확보로 시장 경쟁력 유지

독성이나 부작용이 없는 천연 제2형 당뇨병 치료제

> 독성 및 부작용이 없는
  혁신적인 제2형 당뇨 합병 치료제
- **신약신약개발 산업의 새로운 모델 NRDO(No Research Development Only)**
- 순수 국내기술로 완성한 천연물 신약의 임상을 성공적 완수 목표

> 지속적인 임상연구와 신약 사업
  연계 파이프라인 구축
- **PH-100 의 국내 임상 2a상을 성공적으로 완료**
- **2b상 을 진행중**
- 당뇨합병증 보조치료제 이외에 대사증후군 치료제, 뇌질환 치매 치유, 관절, 항암, 바이러스 적용

> **Multi 헬스케어 ! 진정한 Top**
- 다목적 치유가 가능한 독보적 천연물질을 응용하여 콜라보레이션 마케팅을 통한 글로벌 선두 기업화
- 임상 수행이후 파이프라인의 가치를 레벨 업 시켜 글로벌 헬스케어 기업으로 도약함(제약, 메디푸드, 건강 생활용품)

● 특허 및 SCI급 논문 ——— Seanol® ———— PH-100

글로벌 승인	• 세계최초의 해양폴리페놀 신소재, Seanol® /Hydrated-Seanol(MOP)™ : 미국 FDA - NDI (2008), 유럽 EFSA –NFI (2018), 한국 식약처(MFDS) - HFFI (2012/2018) • 천연물 신약 원료 의약품 (API): 미국 FDA - IND (2013), 한국 MFDS - IND (2015)
50+ 특허	• **특허등록 33, 특허출원 17+: 다양한 기능 및 퇴행성 질환 (치매, 당뇨, 항암 등) 개선 등** • 100+ 상표 등록: 한국, 미국, 일본 및 중국
200+ 연구논문	• **130 SCI급 논문 (임상 연구논문, 신약 임상, 독성 및 효과 실험)** • http://www.mopscience.org
바이오 신소재	• MOP™ : 세포대사를 활성화시켜주는 해양 폴리고머 폴리페놀 식품 • Seanol® : 슈퍼 항산화 및 항염증 기능의 해양 폴리페놀 식품 등 원료 • Botanical API's : 표적항암치료제, 뇌질환, 당뇨 합병증, 동물 등 신약 신소재
첨단 응용 기술	• **MOP™ Hydro-Network™ : 세포를 건강하게 되돌려 주는 첨단 기술** • Seapolynol® (Seanol® -S)Hydro-Network™ : 피부 세포 활성화 기술 • Seanol® based patent formula : Seanol® grade 신소재를 활용한 제품 적용기술

NDI: New Dietary Ingredient,   **NFI**: Novel Food Ingredient,   **HFFI**: Health Functional Food Ingredient,
API: Active Pharmaceutical Ingredient,   **IND**: Investigational New Drug

- **Seanol 원료 물질 효능** —————— Seanol® ————— PH-100

> - **Anti-Aging, 젊음 유지 가능….. 신약개발(PH-100) & Medi food**
> - **세포 활성화로 세포의 건강을 회복 (뇌세포, 노화세포 최적화)**
> - **퇴행성 질환의 예방 & 치유가능**
> - **노화, 뇌혈류, 심혈관, 항염, 항산화, 대사증후군등 건강 헬스케어**

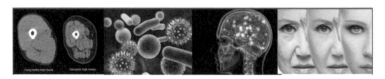

✓ 해양 식물 화학을 활용한 천연 의약 연구
✓ 글로벌 승인 : U.S. FDA NDI , Europe EFSANFI, Korea MFDS 등
✓ 미국 FDA IND (시험용 신약) 임상 1 상 완료 - 신약 개발 승인
✓ 특허등록 33, 특허출원 17+: 다양한 기능 및 퇴행성 질환 (치매, 당뇨, 항암 등) 개선 등
✓ 130 SCI급 논문 (임상 연구논문, 신약 임상, 독성 및 효과 실험)

- **PH – 100 2a상 임상시험 결과** —————— Seanol® ————— PH-100

> **항염 효과로 고위험군 심혈관 합병증 (제2형 당뇨병 환자) 유효성 도출**

목 적   심혈관 합병증이 발생한 제2형 당뇨병 환자를 대상으로 PH-100 정제의 안전성 및 유효성 탐색.

시험기간   2016.02~2019.08

시험대상자 구성   12개의 시험기관 * 103명의 시험대상자 * 동의 후 스크리닝 검사를 받고, 총 82명의 시험대상자가 무작위 배정(PH100 800mg/day군: 27명, PH100 1600mg/day군: 27명, Placebo군: 28명)을 받음.

●**PH-100 2a상 임상시험결과 주요 Summary**

✧ **Hs-CRP 변화**

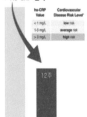

✓ 임상시험용의약품 투여 후 12주 시점에서 hs-CRP 변화를 살펴보면, PH100 투여군과 Placebo군에서 베이스라인 대비 감소한 것으로 나타났으며, PH100 800mg/day군과 Placebo군에서의 변화는 통계적으로 유의하였다 (p-value=0.0320, 0.0227). 특히 베이스라인 hs-CRP가 3mg/L을 초과하는 심혈관 질환 고위험군 (PH100 800mg/day: 6명, PH100 1600mg/day: 6명, Placebo: 10명)을 대상으로 분석한 결과에서는 PH100 투여군 모두 hs-CRP가 통계적으로 유의하게 감소하였다.

✓ PH100은 심혈관 질환 고위험군에서 항염 효과가 있음을 확인할 수 있었다.

✓ 본 임상시험에서 약물이상반응과 실험실적 검사 및 이학적 검사 결과를 종합해봤을 때, Placebo군과 비교하여 이에 PH100의 투여는 안전한 것으로 판단된다.

● PH-100의 물질특성과 기대 가치 ━━━━━━━ Seanol® ━━━━━━PH-100

- PH-100 vs 카테킨 물질분포에 따른 특징

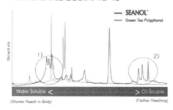

"체내흡수력과 장시간 체내에서 잔존함"

➢ 카테킨은 육상 폴리페놀 중 가장 우수한 항산화 물질
➢ PH-100은 항균 및 항산화 작용, 내장지방의 저하작용
   혈관 확장 작용 등   다양한 작용에서 카테킨을 능가함
➢ PH-100 의 반감기는 12시간, 카테킨 30분
   ⇒ 장시간 체내에 머물면서 항염, 항산화 효능의
      지속시간이 길다는 의미

- 항산화 물질 효과 비교

Functional Efficacy	기타 항산화 물질	PH-100
항산화 효과	△ ~ ○	○
항염증 효과	△	○
혈류개선 효과	△	○
지질대사 개선 효과	△	○
항알러지 효과	X ~ △	○
인지기능 개선 효과	X ~ △	○
통증개선 효과	X ~ △	○
항균/바이러스 효과	X ~ △	○

➢ 원료 물질(Seanol)개발
➢ PH – 100 임상 2a상 완료

2019 – 2023~

2019년 8월   한국식약처(KFDA)로부터 PH-100 2a상 임상 완료

  현재   PH-100 2b상 진행중

2013 - 2014

Phloronol Inc 미 FDA로 부터 PH-100에 대한 IND 승인, 미국 내 임상 1상 완료

2009 - 2012

Phloronol Inc (샌프란시스코 소재 미 Biotech 회사) :

의약품 규격인 PH-100 API 및 PH100 200mg Tablet 에 대한 표준 및 FDA 1상 완료

"씨폴리놀 감태 주정추출" 이라는 명칭으로 개별 인정형 기능성 원료 (지질대사 개선) 승인 (2012)

2001 - 2008

㈜보타메디에서 원료물질 개발

갈조류의 일종인 감태 (Ecklonia cava)로 부터 플로로탄닌계 활성 물질 분리 동정 및 특허출원

SeaPolynol™ 이라는 기능성 식품 규격으로 표준화, 양산공정 개발 및 전임상 연구

미 FDA 로 부터 SeaPolynol ™에 대한 NDI (New Dietary Ingredient) 인정 (2008)

2b상 & 3상 성공 가능성 ———— Seanol® ———— PH-100

> 염증 치료 효과로 당뇨환자 및 대사증후군의 필수약이 될 잠재력을 증명할것으로 예상됨

> **유효성 평가분석결과** 당화혈색소 감소, 심혈관 기능 개선, 혈액응고 개선 **효과 등이 확인됨.**

> **대사증후군 환자의 천연물 신약으로 부작용 없이 적용가능한 의약품이 될 것으로 기대됨.**

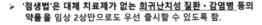

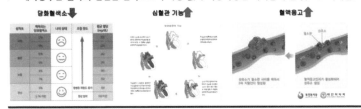

> **'첨생법'은 대체 치료제가 없는 <u>희귀난치성 질환·감염병</u> 등의 약품을 임상 2상만으로도 우선 출시할 수 있도록 함.**

✓ 대사증후군으로 인해 PH-100 적용 가능
✓ 의사처방 출시, 동시에 3상 진행

부록 II

부록Ⅱ : 건강보조식품 씨놀의 효능

1. 제주도 남단 해역에서 서식하는 갈조류에서 추출한 천연물질

보타메디
이행우 대표

보타메디
바이오 기업 중 천연물 중심으로 연구하는 기업
여러 천연물 중 제주 남단 바다 속 갈색 해조류 추출 천연 물질 연구 개발

2. 서유럽에서 금기 식품인 해조류 물질로 유럽 인허가 획득

NIF, 국내 신청 기업 2-3곳에 불과할 정도로 어렵고 허가 오래 걸림

씨놀이 각광받는 이유

인류에게 도움이 될 수 있는 물질의 유효성 존재

일반인도 느낄 수 있는 혈류 개선에 탁월한 효과

세포보호효과

만성 염증에 대해 유효 효과

- 퇴행성질환 / 노화 억제시장에 중요 물질

3. 아스피린과 씨놀의 비교

아스피린과 겹칠 수 있는 '씨놀', 차이점은?

아스피린, 혈소판 응고 지연으로 혈액 응고 지연 효과

아스피린, 특수 검사시 복용 자제하는 반면 씨놀 복용 무관

→ 씨놀, 천연물질 특성으로 부작용 없음

4. 강력한 항염증 작용

씨놀, 혈류의 흐름 자체를 부드럽게 하는 효과

씨놀, 아스피린 기능 + 항염증 + 세포보호효과

일반적으로 시장에서 항산화제/노화방지제로 불림

→ 씨놀, 아스피린의 단점을 커버하면서 부작용 없이 복용

5. 비타민 E와 씨놀의 비교

비타민E, 항산화력(세포보호력) 가장 뛰어남

씨놀이 훨씬 뛰어난 효과 ▼

씨놀, 비타민E보다 항산화력 230배 뛰어남

비타민E, 오래 되면 체내에서 기름 성분으로 생성-부작용 발생

씨놀, 식약청 콜레스테롤 - 식품 혈당 조절 기능 허가받은 기능식품

씨놀, 세포 보호가 뛰어난 물질 : 노화방지 식품으로 개발

씨놀, 대사가 좋은 시간동안 순환 및 배출됨 - 미래 노화방지제

6. 치매 질환에 뛰어난 효능

아이씨놀 용도

뇌기능 관련돼 있는 뇌혈류 개선에 적용 - 효과 뚜렷

홍콩 정부, 유일하게 뇌재생 단어 허용

치매의 시작은?

대부분 동양인의 경우 약 80% 뇌혈류 장애로 시작

치매, 유럽에서 알츠하이머 유전적 원인과 한국 말그대로 치매로 나뉨

치매약/뇌혈류 쉽게 이야기 못하는 이유

대뇌 세포 한 번 파괴되면 회복 불능

- 일반적으로 치료 신약에 대해 기대

치매, 의학적으로 예민해 약으로 완성 전이라 효능에 대해 언급 X

씨놀, 서울대 임상실험에서 내외 약리작용 확인

대뇌 세포쪽에서 베타 아밀로이드라는 치매 억제 물질 통제 확인

7.씨놀, 뇌기능에 어떤 효과 ?

사람에게 식품으로 간이 임상실험 - 기억 인지도 개선 다수

특히 집중력 분야 뛰어난 상태

8. 씨놀에서 나오는 미래형 식품 '만나스'

만나스

연구진이 7년 가까이 프로젝트 준비해

미국의 신약 전문 개발연구팀과 한국의 식품 전문팀이

같이 생각해 개발한 미래형 식품

현재 효과 탁월 입증

→ 전체계 천여명의 임상 리포트 결과, 체중/혈당/혈압의 조절에 효과

→ 인류 노화에 가장 기본적인 부분 조절할 수 있다는 기대감

'만나스'의 시작

혈당/혈압에 영향 주는 설탕/소금을 적게 섭취시키고

칼로리를 적게 흡수할 수 있는 식품이 나온다면

예방의학의 선두 주자 될 수 있다는 생각에 7년 전 기획

콜레스테롤이나 당뇨 환자들은 의약품을 복용한다.

한 번 시작하면, 현대의학으로는 약복용을 중단할 수 없다.

그러나, 씨놀로 만든 만나스는 설탕이나 칼로리를 적게 섭취하면서 필요한 영양소를 취할 수 있는 식품으로 개발.

9. 피부에 광범위하게 작용하는 씨놀

인체에 갖고 있는 수분을 최대한 유지해서, 자연스럽게 보습이 되게 하고 물에 대한 과학을 피부와 잘 접목시키면, 그렇게 어렵게 하는 기미를 실제로 80% 이상 두 세달 안에 제거할 수 있는 전문적인 특성

만성염증 뿌리 뽑는 최고의 식품!
해양 폴리페놀의 보고 〈감태〉

10. 감태 속 플로로타닌의 특성

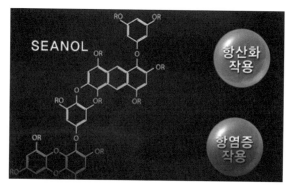

독특한 구조의 폴리페놀 화합물로 몸속 생리활성 작용에 도움

항염증, 항산화, 항암효과 - 영양소부터 식품까지

2019   한국 식약처, 당뇨합병증 임상 2a상 완료

Seanol®, 한국 MFDS, 개별인정형 기능성식품 원료 승인

"식후 혈당"

2018   Seanol®, 유럽 EFSA NFI (novel food ingredient) 승인

2016 Seanol® 제주도 본사 및 공장 준공

2016 한국 MFDS, 당뇨합병증 Phsea2 승인

2016 미국 FDA 임상 1상 완료

2013   Seanol®, 미국 FDA, IND(Investigational New Drug)

임상 허가 승인

2012   Seanol®, 한국 MFDS, 개별인정형 기능성식품 원료 승인

"콜레스테롤"

2008   Seanol®, 미국 FDA NDI(new dietary ingredient) 승인

2001   Botamedi Inc. 설립

씨놀을 공동 연구하는 세계적 네트워크

부록Ⅲ

부록3 : 씨놀 탄생 이야기

모친과 정상적으로 나눈 마지막 대화 이후부터 모친께 치매가 왔다. 잠깐씩 이상한 소리를 하시더니 진행이 빨랐는지 며칠 안 가 행우(이행우 박사)조차 몰라보게 되었다. 행우는 백방으로 치매에 좋은 처방을 알아보고 민간요법까지 시도해 보았지만, 증상 완화의 기미는 보이지 않았다. 그해 가을 결국 저 세상으로 가셨다. 뭔지 모르게 모친께 큰 죄를 지은 기분이었다. 모친 영전에서 행우는 비통해하며 반성했다.

"바이오... 그렇습니다 어머니, 이 불효자가 바이오를 한다고 약속드리고는 게으름 피웠습니다. 더 오래 모시지 못하고, 편안하고 깨끗하게 보내드리지도 못했습니다. 용서하십시오 어머니..."

모친은 행우의 바이오 연구에 새로운 전기를 만들어 주었다. 그 때까지 바이오 연구는 행우에게는 별 존재가 아니었다. 모친 장례 이후, 행우는 바이오에 투신하기로 굳게 마음 먹었다.

"그래, 바이오 연구를 병행하자. 아이오와 9인이 다시 뭉치는 발판을 마련하자."

행우는 아이오와 9인(미국 아이오와대학 유학시절 만난 연구 지우들)을 중심으로 연구소를 만들어 자주 만나며 발판을 마련했다. 그들은 만장일치로 이행우를 CEO에 앉혔다. 8명이 모두 바이오였다. 행우만 전기전자재료 쪽이다. 그러나, 행우도 첫 직장인 한화에 있으면서 바이오를 했던 만큼 기초가 있었다.

행우에게는 누구의 이야기도 허술하게 듣지 않는 품성이 있었다. 토론도 하고 필요하면 함께 실험도 하며 신 물질의 힌트(정보)를 찾는 데 주력했다. 하찮은 들풀부터 약초, 해산물 등 소재를 가리지 않고 연구과제로 삼았다. 개발 쪽에서 흘러나오는 풍문까지도 소홀히 하지 않았다. 바이오를 논하다 보니 치매가 화제 중심일 때가 많았다.

"순천향병원에서 세 분의 교수가 치매약을 개발했대요. 각각 독자적으로 10년씩 했는데 모두 실패했답니다. 그들이 내린 정답은 애초에 어떻게든지 덜 늙고 치매에 걸리지 않게 하는 것이 최선의 방법이라고 해 모두 웃었습니다. 그게 10년 연구의 결과라니... 치매가 가장 안타까운 질병이죠. 그러나, 불가능은 없습니다. 뇌 혈류 장애가 주원인이라는 건 밝히면서도 왜 접근하지 못하는 걸까요?. 약물은 개발됐답니다. 그걸 뇌세포에 전달할 방법을 못찾는 답니다.

그러면 약이 무용지물일 수 밖에요. 3차원의 구조가 밝혀졌는데

도 뇌막을 통과하지 못한다는 선입견이 있어 시도조차 안한다네요. 경제가 안되는 연구는 우리에게 필요 없겠죠?

80년대만 해도 FDA가 나이들어 생기는 퇴행성 질환들은 고칠수 없다고 했지만 이제는 의식이 바뀌었데요. 부작용 없이 노인성 질환을 고칠 수 있는 신 물질이 어딘가에 있을 겁니다.

우리가 진시황처럼 불로장생약을 찾는 건 아닌지 모르겠군요. 어쨌든 시간이 걸려도 선진국에서 개발한거 가져와 팔고 베끼고 하는거 우린 하지 맙시다. 우리가 개발한 소재라야 당당해질 수 있는 거니까... 세계를 휩쓰는 한류 열풍도 우리가 만든 것이기에 그런 겁니다. 그럼요. 천천히 찾읍시다. 바쁜 사람 없잖아요. 하나의 가치가 수 억, 수십 억 불 이상의 가치를 지니는 예가 얼마나 많습니까. 대충 만들어놓고 마케팅 시작하는 나쁜 관행, 우린 이런 것도 하지 맙시다. 창의적이라고 해서 살펴보면 껍데기만 창의적이지. 알맹이나 깊이는 없는 경우가 태반입니다. 돈보다 아픈 사람 고쳐주려는 측은지심을 더 가지면 좋은 일이 올 겁니다."

어쨌든, 그들이 목표하는 것은 아직 드러나지 않은 신 물질이었다. 조금 더 구체적으로 말하면 바이오 분야의 신 물질을 천연물에서 찾아내는 것이다. 그런데, 신 물질을 찾는 일은 장님 문고리 잡기와 같다. 서두른다고 찾아지는 것이 아니었다. 역대 노벨상 수상자의 여야기를 들어도 (특히 화학이나 물리 쪽) 우연히 찾아진 경우가 대부분이었다. 그러나, 역설적으로 말하면 찾으려하는 사람이 찾아내는 것 아닐까.

그들은 그렇게 '벤트리'라는 상호 아래 뭉쳐서 자료를 검토하고 역할을 나누어 연구를 진행했다. 행우는 그들의 연구를 지원하는 등 뒷받침하면서 산 물질을 찾는 노력을 계속했다. 이제까지의 파노라마 같은 과정은 모두 새로운 출정을 위한 토대라고 여기기도 했다.

1997년이었다. 벤트리 창업 이후 얼마 안 되는 때에 팀원 중 한 명인 이봉호 교수가 남해 보길도를 다녀왔다며 행우의 집무실에 들렀다. 아이오와대학에 누가 먼저 입학했느냐는 식으로 따지면 9명 중 제일 선배였다. 행우가 두 살 위였으나 선배로 깎듯이 모시는 교수이기도 했다.

"고산 윤선도 선생의 자취로 유명한 보길도에 갔었죠. 술자리가 벌어졌는데 안주 중에 감태라는 게 있었어요. 그걸 먹으니 술이 하나도 취하지 않더라고요. 신기했습니다. 관심을 가질 만하다는 느낌을 받았어요."

"그래요. 새로운 얘기군요"

"그러나, 술 안취하는게 감태 덕분인지 공기가 맑은 곳이어선 지... 원래 청정한 지역에 가서 마시면 평상시 보다 서너잔은 더 마셔도 끄떡없다는 말이 있지 않나요?"

"그런지도 모르겠군요."

"하지만, 감태라면 생각해볼 여지는 있어요. 감태는 전복의 먹이가 아닙니까?"

"맞아요. 어떤 사람은 천 년을 산다는 거북이들 먹이라고도 하더군요. 저는 감태를 처음 접해 봤습니다. 천 년 사는 거북이 먹이요."

　재미난 힌트였다. 행우는 일어나 생명과학대사전에서 감태 항목을 찾아 보았다. 감태(학명 : Ecklonia cava)는 갈조식물 다시마목 미역과의 해조류이다. 색은 갈색인데 건조하면 흑색으로 된다. 주로 제주도 일대 및 일부 남해안에 분포하며, 수심 10m 내외의 깊은 곳에서 서식한다. 2~3년간 생장하는 다년생 식물이다. 전복의 주 먹이인 감태는 알긴산, 요오드, 칼륨 등의 영양소가 듬뿍 함유되어 있는 건강식품 자원이다. 후코이탄과 플로로탄닌 성분을 함유하고 있으며, 이 성분들은 항산화 효과, 항암 효과, 항염 효과, 노화억제 효과 및 고혈압 억제 효과 등에 우수한 것으로 알려져 있다.

"사전에도 전복의 먹이라는 말은 나오는데 거북이 얘기는 없네요. 그 외에 특별한 것도 없고요."

"하하하 뭘 찾았다고 했나요? 감태라는 걸 처음 접했는데 느낌이 좋아 말씀드린 겁니다."

그날 두 사람은 그 정도에서 헤어졌다. 그리고 한동안 말이 없더니 이듬해 이봉호 교수는 가루를 담은 봉지를 들고 왔다.

"작년에 말한 그거에요. 감태인데 대충 추출한 가루지요. 이걸 멸치에 뿌리니까 아무리 오래 두어도 상하지 않아요. 팀의 연구 과제로 올릴만합니다. 뭔가 재미난게 얻어질 것 같네요."

"나도 자료를 찾아 봤어요. 러시아와 일본에서 건드린 흔적이 있네요. 흥미가 동하네요. 몸 안에서 방사성 물질을 배출해내는데 감태를 이용한 자료들이 있어요. 러시아 체르노빌 사건 때도 그랬고요."

"감태가 나오는 지역 주민들 사이에서는 인기가 대단합니다. 그렇게 불면증에 즉효랍니다.

"영양제로 먹는 사람도 많고. 이거 먹는 사람들은 하나 같이 나이보다 젊고 건강해요."

"그렇다면 노화방지에도 분명 효능이 있겠네요. 우리 몸의 다양한 오염문제도 해결할 수 있고..."

"해조의 역할이 원래 오염된 바닷물의 정화가 아닙니까. 중금속 같은 걸 다 빨아들인 뒤 자기는 전복 따위에 먹이가 되는 거죠. 그 전복을 우린 귀한 음식물로 여기고..."

"이 교수님 말로만 옹알이 하지 말고 정식으로 감태연구회를 만들어 회의도 하고 핵심 물질을 추출해서 임상도 해 봅시다. 까짓 멸치에 뿌려 보존하는 정도라면 무슨 돈이 되겠습니까. 10억 정도 예산 세우면 되지 않겠어요?"

"그런 정도 예산이면 가능하겠어요. 그럼 본격적으로 해봅시다. 볼수록 이게 만만히 볼 물질이 아닙니다."

아이오와팀의 감태 연구는 그렇게 이봉호 교수로부터 시작되었다. 그들이 감태를 만난 것도 그렇게 우연이었다. 모두가 역할을 했지만, 그 중에서도 주축이 된 것은 이봉호 교수와 신현철 박사, 김성호 박사였다. 특히 김성호 박사는 행우와 함께 있으면서 실험실에서 유용한 물질을 추출해 성분을 낱낱이 분석했다. 행우는 이 물질에 'VAT'란 이름을 붙였다. 이어 특허를 출원하고, Y대, K대 등과 계약을 맺고 임상에 들어갔다. 얼마 지나지 않아 첫 반응이 나왔는데, 엉뚱하게도 이 물질이 성기능 개선에 탁월한 효능을 보였다는 점이다.

임상을 맡았던 교수들은 이 놀라운 사실을 언론에 공개했다. 그러자 문제가 불거졌다.

글로벌 거대 제약사인 미국 화이자가 협심증 치료제로 개발했으나 임상시험 과정에서 남성 발기에 탁월한 효과가 있는 것으로 밝혀졌다. 이에따라 오히려 발기부전 치료제로 세상에 알려졌다. 당시는 그런 연유가 있는 비아그라가 한국에 막 들어온 때였다. VAT는 비아그라 판매에 치명적일 수 있었다.

비아그라는 화학이었고, VAT는 천연물질이기 때문이다. 한쪽은 적게나마 부작용이 우려되는 약품이었고, VAT는 천연물질이기에 부작용도 없었다. 성능은 VAT가 두 세 배나 월등했다. 둘이 시장에서 정면 승부한다면 무슨 일이 벌어질까?

행우는 한국이 약한 나라라는 걸 또 실감해야 했다. 그리고 일부 의사들은 알게 모르게 제약회사와 모종의 유착관계를 갖고 있었다. 임상에 참여하고 논문발표에 이름을 올렸던 의학자들까지 안면을 바꿔 공격해 오는데 행우가 감당할 수 있는 선이 아니었다. 상품화를 하지 못하게 막는 공작이었다. 행우는 밴처기업으로서 맞서는데 까지 맞서다 유야무야 하는 선에서 종결하는 것으로 합의해야만 했다.

실망한 행우는 끝내 벤트리를 처분하고 가족을 이끌고 한국을 떠나 미국 시애틀에 보금자리를 차렸다. 미국에서 살 생각이었다. 그러나, 아이오와팀이 행우를 그냥 놔두지 않았고, 행우도 완전히 떠날 수 없었다. 벤트리를 인수한 회사는 자기 회사를 우회 상장해 주가 띄우는데 목적이 있었을 뿐 벤트리의 기술이나 사업 내용에는 관심이 없었다. 벤트리 사업, 특히 바이오 분야는 행우에게 권리가 있었다.

국내외에서 감태 연구는 계속되고 있었다. 이행우 박사는 미국을 오가며 지원을 계속했다. 감태 연구가 진전을 보이면서 행우는 새 회사를 차렸다. '보타메디'라 했고 VAT에는 '써놀'이란 새 이름을 붙였다. 아이오와팀도 '씨놀연구회'로 명칭을 바꾸고 컨퍼런스를 계속하니 관심을 보이고 참여하는 학자가 늘어 회원수도 160명이나 되었다. 그렇게 새로 출발한 것이 2002년이었다. 이후 임상은 주로 미국과 일본에서 수행했다.

미국에서는 오하이오대학, 워싱턴주립대학, 미국국립노화연구소, UCLA 등에서 실행했고, 일본에선 교토대학, 오사카시립대학, 홋카이도대학 등이 주도했다. 한국 임상과 미국, 일본 등의 임상시험은 차이가 컸다. 한국에서는 임상을 주도하는 의사나 임상 참여자들에 대한 신뢰도가 떨어져 횟수와 대상을 늘리고 통계에 의존해야 했다. 시간도 오래 걸렸다. 미국, 일본은 신뢰할만한 결과를 더 빨리 정확하게 얻을 수 있었다.

처음 임상을 의뢰할 때는 관절염이나 콜레스테롤 조정, 성기능 개선에서 어떤 반응을 보이느냐였다. 모든 신체 기관에서 하나 같이 예상을 훨씬 뛰어넘는 결과를 보내왔다.

예를 들면 씨놀은 피가 굳어지는 것을 억제하여 혈액의 흐름을 원활하게 하는 효능이 탁월하다고 보고되었다. 염증을 낮게 하고 세포 파괴를 막는다고도 했다. 무엇보다 세포 내에서 손상된 장소를 찾아가는 능력이 놀랍다고 보고했다. 단일 물질에서 그런 복합적인 효능을 보이는 건 예전에 없던 일이라고 입을 모았다.

임상 결과는 입소문을 타게 마련이다. 소문이 나자 세계 유수의 기업에서 원료 주문이 쇄도했다. 보타메디에 매출이 생기기 시작했다. 30~50억 원에서 2019년에는 180억 원이나 수출했다. 그렇게 원료를 팔면서 연구는 연구대로 20년간 계속했다. 이제까지 밝힌 것만 해도 씨놀은 '신의 만나'였다.

씨놀은 어떤 고장나거나 약해진 세포 부위에 가서 작용하는 게 아니라 뇌로 진입해 뇌세포를 복원시킨다는걸 발견했다. 뇌세포가 복원되고, 피를 잘 흐르게 하니, 혈류장애로 일어나는 온갖 병증이 근본적으로 개선되는 것이다. 씨놀이라면 치매 공포에서도 해방을 기대할 수 있었다. 나아가 모든 노인성 질환에도 회춘의 빛이 되어줄 수 있다고 확신했다. 어린이나 청소년의 경우도 유전자가 가지고 있는 최대치를 살려 크고 잘생기고 건강하고 머리 좋은 성인으로 자라도록 씨놀이 도와줄 수 있다는 사실이 밝혀졌다.

씨놀 연구회는 이런 결론에 이르러, 연간 200억 원에 가까운 양의 원료 수출을 모두 중지하고, 우리 국민, 우리 국가의 과거와 현재, 미래에 진정한 건강을 선물한다는 자세로 씨놀을 이용한 완제품 생산기업으로 거듭나기로 했다. 그 시작이 2020년이었다. 원료부터 우리 기술로 찾아내고 만든 제품으로 새로운 출발을 하는 것이다.만나스올, 미웨이 등 보타메디의 결정체들이 그것이다.

"저희 연구 결과를 전부 공개하고 있는 건 아닙니다. 이제 일부 시장에 선을 보이는 겁니다. 1999년에 천연물신약 카테고리에 들어왔고, 2004년 이 물질에 씨놀^{Seanol} 이란 이름을 제가 붙였습니다. 바다^{Sea}와 폴리페놀^{polyphenol}의 합성어입니다."

한국에서 세계 최초의 새로운 건강보조식품을 탄생시켰습니다. 저희 연구팀의 산물이기에 제가 아니라 우리의 발견입니다. 우린 미래 세대에 줄 선물을 발견하고 개발하고 있다고 생각합니다. 우리로 인해 앞으로 인류의 수명과 질병에 대한 개념이 달라질 것으로 기대하고 있습니다. 우리의 개발품이 1000조 이상의 가치가 있다고 말하면 사람들은 증명해 보라고 말할 것입니다. 글쎄요. 어떻게 증명할까요. 허가서 등록증 같은 걸 보여드리면 될까요?

씨놀을 이용해 미웨이라는 식품을 만들어 2020년 5월부터 시판했는데 인기가 있습니다. 식품 전문가는 주부나 주방장이겠죠. 음식체인점을 하는 식품 사업가도 될 수 있겠네요. 병 고치는 건 관심 없습니다. 식품이니 우리는 식품 전문가로부터 좋은 평가를 받으면 됩니다. 한 달에 식재료를 2천만원 어치 사서 4천만원 매출을 올리는 음식점이 있습니다. 미웨이를 사용하면 식재료비가 1500만원으로 줄어듭니다. 그러면 이익이 2500만원이 되나요? 아닙니다. 음식의 맛과 질이 높아지니 매출은 30% 이상 늘어납니다. 식재료비를 5백만원 줄이는데 사용되는 미웨이 값은 50만원이면 충분합니다. 이 것이 우리 제품의 논리입니다. 출시되자마자 재주문율이 100%입니다.

상추가 몇 일 지나면 시들해 집니다. 미웨이 한 스푼 넣은 물에 상추를 적시면 곧 싱싱해집니다. 족발을 삶을 때 한 스푼 넣어주면 부드러워지고 냄새도 없어집니다. 밥 지을 때 한 스푼 넣으면 2~3일 지나도 하얀 밥이 그대로 있습니다. 큰 스푼이 아닙니다. 티 스푼 하나의 분량으로도 그런 훌륭한 효과를 볼 수 있습니다.

씨놀을 이용하여 상품화한 만나스올은 2020년 초엽 상품화 했습니다. 한마디로 설명하면 마시는 줄기세포 활성제입니다. 물에 넣으면 잘 녹습니다. 하루에 한 번 500cc의 물에 만나스올 0.7g을 타두었다가 목이 마를 때 음료로 마시면 질병이 있는 사람들에겐 놀라운 개선 효과가 나타납니다. 위장 장애로 소화가 잘 안 되는 사람에게는 4~5일 이내 개선되고. 얼굴색은 2주 이내 밝아집니다. 하루가 다르게 운동 능력이 향상되고, 몸무게가 줄고 체형도 점차 바로 잡힙니다. 성장기의 청소년에게는 키가 커지는데 효과가 있고, 성인도 2~3crn 커지는 것을 기대할 수 있습니다. 피부가 개선되는 효과는 2~3 개월이면 확연히 드러납니다.

뇌기능이 젊어집니다. 어느 정도 진행된 기억장애나 치매, 중풍 등도 진행을 멈추거나 되돌릴 수 있습니다. 우린 이 기술이 탄생하기까지 20년을 연구했습니다. 안타깝게도 그 중 15년을 재래식 연구로 시간을 허비했습니다. 그래서 연구결과가 더 탄탄해진 면도 있을 겁니다.

발상의 전환을 통해 최근 5년간 오늘의 씨놀을 이만큼 성장시켰습니다. 중장년 이상이 되면 누구나 가져보는 희망이 있습니다. 10년만 젊어질 수 있다면, 아니 5년만 젊어질 수 있다면... 하는 것입니다. 이제 그것이 가능해졌습니다. 수많은 임상에서 구부러진 노인의 허리가 꼿꼿이 펴졌습니다. 완전히 기역자로 꼬부라진 할머니가 펴지는데 3년 걸렸고, 약간 구부러진 할아버지 허리는 두 달 만에 펴졌습니다. 치매가 심해 딸 조차 알아보지 못하던 할머니가 예전처럼 딸을 알아볼 수 있도록 도와드리는 데는 8개월이 걸렸습니다. 씨놀이 일정 수준까지 본래의 상태로 돌아가도록 한 것입니다. 꾸준히 드시면 좀 더 나아지시겠지요. 이제 시작이니 앞으로 얼마나 더 놀라운 일들이 펼쳐질까요? 우리의 개발품이 1,000조 이상의 가치라는 말이 이제 실감되실까요?

이게 약입니까? 치료입니까? 하고 묻지 마십시오. 이것은 식품이고 회춘입니다. 그러면 값이 엄청 비쌀 것 같습니까? 비용도 하루 3000원 내외, 라면 한 그릇 사서 드시는 값에 불과합니다. 조선의 명의 허준도, 중국의 전설적 의사 화타도, 우리 모두 잘아는 의학의 아버지 히포크라테스도 음식은 곧 약이고 약이 곧 음식이라고 했습니다. 우리 몸 안 자연 치유력이 모든 질병의 진정한 치유제라고 했습니다. 우리 제품은 근원에서 우리 몸 안 자연치유력을 건강하게 되살리는 물질이며 음식입니다. 핵심은 세포입니다.

나이 들면 피할 수 없는 노환에는 근감소증이 따릅니다. 근감소증은 WHO가 인정한 질병으로 의료보험 적용을 받습니다. 그런데, 문제는 약도 없고 치료는 더더욱 캄캄합니다. 나이 들면 세포 내 수분이 감소하고 그러면 세포 자체가 쪼그라드는 것이 당연합니다.

세포에 수분을 다시 채워주어 젊고 건강할 때의 세포로 돌아가게 해준다면 노화는 방지되는 것 아닐까요? 우리의 연구 테마입니다. 세포 안에 수분량이 적정하면 건강해지고, 건강한 세포가 연쇄적으로 건강한 세포를 생산합니다.

모든 화학성분은 서로 결합합니다. 물도 산소와 수소가 결합해서 생깁니다. 제일 센 결합은 금속결합으로 소금, 즉 나트륨과 염소가 붙는 것입니다. 두 번째 센 결합은 수소결합 입니다.

물은 물끼리 연결합니다. 그런데, 물은 온도가 높아지면 날아가고 흩어집니다. 우리 물질이 들어가서 물을 결합시키는 그물을 만들어 준다면 어떻게 될까요. 물로 만들어진 그물이 물이 든 세포를 감싼다면, 세포 안 수분이 적정하게 유지되고 건강해질 수 밖에 없는 것입니다. 세포끼리는 서로 커뮤니케이션을 하니 그 시너지 효과는 우리가 함부로 측정할 수 없습니다.

인간은 2차 성징까지 보인다는 것이 이제까지의 정설입니다. 1차는 태어났을 때 생식기만으로 남녀를 구분지을 뿐 몸의 변화는 상관 없습니다. 2차 성징은 사춘기나 청소년 때 남녀가 신체의 변화를 보이며 성숙해지는 시기를 말합니다. 이제 우리 제품으로 3차 성징이 나타나게 되었습니다. 소화기의 세포는 이틀이면 다 새로 나타납니다. 피부 세포는 4주 걸립니다.

백혈구는 2시간, 적혈구는 6~8주가 생명입니다. 건강한 세포가 더 건강한 세포를 만들어 바톤 터치하는 것을 상상해 보십시오. 이걸 정상으로 받아들인다면 그것이 3차 성징을 견인합니다. 환골탈태라는 말처럼 뼈와 근육이 바뀐다는 것, 노인에게 근육이 생기는 것을 우리는 3차 성징으로 보는 것입니다.

사람은 60대 70대가 되면 대동소이해집니다. 힘은 빠지고 근육이 없어지고... 뼈가 다시 단단해지고 근육이 생기면 걸음걸이며 자세가 모두 달라지겠지요. 중년 부인들의 처진 가슴이 다시 올라오는 사례를 많이 보았습니다. 할머니들 가슴 올라오는 건 아직 확인 못 했지만요. 노인의 뼈가 단단해진다면 아이들에겐 어떤 영향이 있을까 궁금하지요? 아이들에게 임상을 하니 뼈의 밀도가 현저히 높아지고 성장도 빨라졌습니다.

10세 전후의 아이들은 100일 사이에 8cm 정도 크는 경우도 있었습니다. 아이들이 갑자기 커지면 보통은 훌쩍 마르는데 그렇지도 않았습니다. 장딴지가 딴딴한 상태로 성장한걸 보면 키가 크면서 근육까지 좋아진 걸 알 수 있습니다. 세포가 활성화된 증거입니다.

이렇게 결과가 환상적이니 의심하고 시비를 거는 학자들이 왜 없겠습니까. 세포에서 수분이 빠져나가는 걸 못나가게 하는 거지, 증가하는 건 아니지않는가 하고 묻습니다. 우리는 말했습니다. 그게 그렇게 중요하세요? 일단 지금의 세포에 수분의 양이 증가했지 않습니까? 그래서 건강해졌지 않습니까. 그거면 된 거 아닙니까?

시들은 상추가 싱싱해지고 커졌다고 하니 물을 먹어서 그렇게 된 거 아니냐. 하루가 지나기 전에 다시 시들해질 것이라고 호언하면서 지켜본 주방장들이 있었습니다. 그들은 채소 세포에 수분이 들어가 세포 대사가 활성화되고, 그 세포가 이웃 세포를 건강하게 해주기에 4~5일 지나도 그대로 싱싱함을 유지한다는 사실을 미처 알지 못했습니다. 며칠 사이에 그 주방장들은 하나같이 미웨이 홍보대사로 변신했습니다. 그러면 암환자도 되돌릴 수 있느냐? 암이 현대 사회에 주는 부담이 무거운 만큼 당연히 나와야 하는 질문이겠지요.

암은 무엇일까요? 비정상으로 발생하는 세포입니다. 비정상을 정상으로 되돌릴 수 있다면 암도 되돌릴 수 있지 않을까요?

암에 대해 아직 연구가 진행 중이라고 말씀드려야겠네요. 진행을 멈추기는 하는데 돌린다는 확신은 아직 못 얻었습니다. 초기 폐암 환자와 초기 유방암 환자 임상에서 이런 사례는 있었습니다. 조직검사 후 암 진단을 받은 분이 치료 중에 씨놀을 만났습니다. 얼마 후 다시 정밀검사를 실시한 의사는 환자에게 이렇게 말했습니다.

　　"오진이었나 봅니다 양이 아니네요"

　　"진행을 멈춘 사례입니다 우리 연구원들은 서로의 얼굴을 보았지요."

　　"야! 이거 정말 엄청난 거구나."

　　더 설명할 필요가 있을까요? "그럼 이것도 시중의 많은 제품처럼 만병통치라는 물질이겠네요" 하는 비웃음 섞인 소리로 비하하려 들지 마십시오. 우리는 근원에 들어가 세포의 건강을 이야기하고 있으니까요.

　　장기를 세분하면 세포로 이루어져 있습니다. 세포끼리는 커뮤니케이션을 하기에 건강한 세포는 이웃 세포를 건강하게 합니다. 세포가 건강하면 몸이 좋아지는게 당연합니다. 왜 상처난 바이러스에 집착을 합니까? 병균을 죽여서 내 세포를 보호하려 하지 말고, 내 세포를 건깅하게 만들어서 병균이 자생하지 못하게 하면 되는것 아닌가요? 알약을 먹거나 연고를 발라 병균을 쫓아내면, 그 병균은 일시 도망갔다가 약효가 사라지면 또 나타나기

마련입니다.

상추나 족발, 쌀밥을 예로 들었지만 닭 튀기는 기름에 씨놀을 넣으면 30%나 덜 들고 오래 쓰고 맛도 좋고 더 아삭거립니다. 냄새도 잘 잡습니다. 기름이 산화되지 않도록 하기 때문입니다.

씨놀은 이렇게 모든 생물체에 작용합니다. 일본의 아지노모토, 한국의 미원, 미풍이 한때 우리의 식탁을 풍요롭게 했었지요. 지금 우리는 화학물이 아닌 자연물질이면서 효능은 월등한 것을 찾아냈습니다.

FDA로부터 식품으로 또 의약품으로 동시에 인허가를 받았습니다. 당뇨합병증 임상허가도 받았습니다. 그런데 왜 약품이 아니고 식품이라고 하느냐? 약이라면 국내는 물론 국제무역에서 인증 절차가 복잡하고 오래걸리기 때문입니다.

국력이 막강한 미국이나 일본 중국의 약품을 한국에 들여와 판매허가를 얻는 건 쉽습니다. 반대로 국력이 약한 한국의 약이 미국 시장에 진출하려면 절차가 보통 까다로운게 아닙니다.

의약품은 허가없이 팔수없는게 상식이지 않습니까. 하지만 식품은 어느 나라도 막지 않고, 또 막을 수 없습니다.

인류가 찾은, 독성이 없는 식품이자 의약품을 2000년 전 인류가 소금을 발견한 것과 같은 쾌거입니다. 그것을 순 한국인들인 우리 씨놀연구회가 해냈습니다. 이제 씨놀을 통해 한 번도 경험하지 못한 미래로 함께 가실까요?

뇌질환 암 당뇨

치유의 길

초판 1쇄 인쇄 | 2022년 12월 13일

초판 1쇄 발행 | 2022년 12월 25일

지은이 | 신상현

감수 | 한정환

기획·번역 | 정승욱

펴낸곳 | 쇼팽의 서재

편집기획 | 남광희

편집디자인 | 윤재연

표지디자인 | 정예슬

출판등록 | 2011년 10월 12일 제2021- 000253호

주소 | 서울 강남구 역삼동 613-14

도서문의 및 원고모집 | jswook843100@naver.com

j44776002@gmail.com

배본 발송 | 출판물류 비상